D1384573

Les femmes vintage

Infographie : Chantal Landry
Correction : Sylvie Massariol

Catalogage avant publication de Bibliothèque et Archives nationales du Québec et Bibliothèque et Archives Canada

Robert, Jocelyne
Les femmes vintage
Comprend des réf. bibliogr.

1. Femmes âgées - Santé et hygiène. 2. Beauté féminine (Esthétique). 3. Image du corps chez la femme. 4. Femmes et érotisme. I. Titre.

RA778.R62 2010 613'.04244 C2010-940484-X

02-10

Dépôt légal : 2010
Bibliothèque et Archives nationales du Québec

ISBN 978-2-7619-2677-5

DISTRIBUTEURS EXCLUSIFS :

- Pour le Canada et les États-Unis :
  MESSAGERIES ADP*
  2315, rue de la Province
  Longueuil, Québec J4G 1G4
  Tél. : 450 640-1237
  Télécopieur : 450 674-6237
  Internet : www.messageries-adp.com
  * filiale du Groupe Sogides inc.,
  filiale du Groupe Livre Quebecor Media inc.

- Pour la France et les autres pays :
  INTERFORUM editis
  Immeuble Paryseine, 3, Allée de la Seine
  94854 Ivry CEDEX
  Tél. : 33 (0) 1 49 59 11 56/91
  Télécopieur : 33 (0) 1 49 59 11 33
  Service commandes France Métropolitaine
  Tél. : 33 (0) 2 38 32 71 00
  Télécopieur : 33 (0) 2 38 32 71 28
  Internet : www.interforum.fr
  Service commandes Export – DOM-TOM
  Télécopieur : 33 (0) 2 38 32 78 86
  Internet : www.interforum.fr
  Courriel : cdes-export@interforum.fr

- Pour la Suisse :
  INTERFORUM editis SUISSE
  Case postale 69 – CH 1701 Fribourg – Suisse
  Tél. : 41 (0) 26 460 80 60
  Télécopieur : 41 (0) 26 460 80 68
  Internet : www.interforumsuisse.ch
  Courriel : office@interforumsuisse.ch
  Distributeur : OLF S.A.
  ZI. 3, Corminboeuf
  Case postale 1061 – CH 1701 Fribourg – Suisse
  Commandes : Tél. : 41 (0) 26 467 53 33
  Télécopieur : 41 (0) 26 467 54 66
  Internet : www.olf.ch
  Courriel : information@olf.ch

- Pour la Belgique et le Luxembourg :
  INTERFORUM BENELUX S.A.
  Fond Jean-Pâques, 6
  B-1348 Louvain-La-Neuve
  Téléphone : 32 (0) 10 42 03 20
  Fax : 32 (0) 10 41 20 24
  Internet : www.interforum.be
  Courriel : info@interforum.be

Gouvernement du Québec – Programme de crédit d'impôt pour l'édition de livres – Gestion SODEC – www.sodec.gouv.qc.ca

L'Éditeur bénéficie du soutien de la Société de développement des entreprises culturelles du Québec pour son programme d'édition.

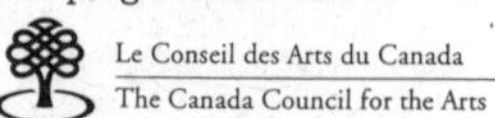

Nous remercions le Conseil des Arts du Canada de l'aide accordée à notre programme de publication.

Nous reconnaissons l'aide financière du gouvernement du Canada par l'entremise du Programme d'aide au développement de l'industrie de l'édition (PADIÉ) pour nos activités d'édition.

Jocelyne Robert

Les femmes vintage

Une compagnie de Quebecor Media

Aux baby-boomeuses.
Pour saluer à travers elles
l'audace et la beauté de toutes les femmes.

À Philippe, qui me regarde comme
un homme regarde une femme.

Prologue de la femme à deux têtes

On passe sa jeunesse à étirer le temps.
Jusqu'à ce que ça nous frappe en pleine tronche :
le temps n'est pas élastique.

En fonçant sur la soixantaine, j'ai été prise de panique. J'avais beau me cabrer comme une pouliche récalcitrante, freiner, décélérer, flânocher, elle m'attendait bras grands ouverts, cette salope. J'ai compris soudain pourquoi le chiffre 6 est la marque du diable : à 60 ans, les fées se transforment en sorcières. Le terme franco-français « balai » comme métaphore des ans ne m'a jamais paru si approprié. Me voici sorcière aux 60 balais !

J'ai écrit ce livre pour m'apaiser. Au point de me créer un double pour supporter l'heure difficile. Le titre de travail de cet ouvrage a d'abord été *Le blues d'une baby-boomeuse… Blues*, dans le sens des « bleus », d'un cafard qui s'est transformé au fil des pages en un *soul*, en une harmonique constante, apprivoisée, rythmée, sensuelle. Une quinqua-sexaphonie… En cours de route, le blues a accouché d'une *Sorcière aux 60 balais* parce que c'est ainsi que je me suis momentanément sentie. Mais ce titre fripon ne convenait pas. Les sorcières, comme le père Noël, sont mortelles, et comme lui, elles naissent vieilles, alors que nous, nous ne naissons pas vieilles, nous le devenons. Ce qui est bien pire. Et puis, à part l'enviable sorcière bien-aimée au nez magique, vous en avez déjà rencontré, vous, des sorcières dont l'horloge bio s'est arrêtée à 25 ans ? Ainsi ai-je abouti aux

Femmes vintage, signe de ma réconciliation et de mes retrouvailles avec la sexagénaire que je suis, ainsi qu'avec mon sentiment d'appartenance au groupe de femmes dont je suis : millésimées, vieillies, *vintage*. On sentira cette progression tout au long du texte : de la détresse à l'enchantement, en passant par la déconstruction des démons.

D'emblée, j'ai senti ce projet d'écriture casse-gueule. J'y navigue à contre-courant, sur une mer de tabous : le vieillissement, la beauté, le sexe, la chirurgie esthétique, la peur de la laideur et de la mort... Pour mes ouvrages précédents, j'ai eu de longues et douces gestations, puis des accouchements assez expéditifs. Pour celui-ci, pas de gestation. Un enfantement interminable, laborieux, déchirant. Comme si ma chair impatiente ne parvenait pas à se dilater, à ouvrir le passage à l'ours devant sortir du ventre de la souris. Mais peut-être ai-je le sentiment d'avoir accouché sans avoir été engrossée, parce que j'étais enceinte depuis toujours, depuis ma naissance, au point d'oublier que je l'étais. Longuement fécondée par le très lourd Chronos* plutôt que par l'opération aérienne de l'Esprit saint, j'essayais d'expulser son rejeton — la vieillesse — avant qu'il accomplisse en moi ses ravages, pour me sauver ainsi de son mauvais sort. Je me baratinais.

Voilà aussi le premier livre de mon répertoire dépourvu de la particule *sexe*. En fait, cela n'est pas tout à fait vrai, puisque j'ai publié, dans une vie antérieure, un conte appelé *Voyage à dos d'étoile*. Cocasse de penser que j'ai bourlingué sur le dos d'une étoile dans ma fraîche trentaine, alors que j'ai failli voyager sur un manche à balai en début de sexagénat ! Les rêves de grandeur se dulcifient avec le temps. Ce titre, donc, sera le seul parmi mes ouvrages actuels à ne pas contenir le mot *sexe*. Transmettra-t-il, plus que les précédents, le goût de la vie, de la fête et de l'instant présent ? Sera-t-il, en ce sens, plus érotique ? J'aimerais bien.

On a déjà de grands pans de vie derrière soi lorsqu'on prend enfin conscience, réellement, de sa finitude. C'est bête comme

* Dieu primordial grec personnifiant le temps. Un dieu est primordial lorsqu'il permet la naissance d'autres divinités. Éros est aussi un dieu primordial.

ça. C'est donc vers la fin de la cinquantaine que j'ai assimilé mon statut de *mortelle*. Et ce fut la cata. La catastrophe et la catalepsie. Le tourment et la tourmente. Cette prise de conscience aiguë et soudaine fit de moi une *ajourneuse* de première. Quelques années de procrastination: «Pourquoi ferais-je aujourd'hui ce que je peux remettre à une autre vie?» Avoir des projets et mille choses à faire me semblait désormais saugrenu. Je m'installai dans l'immobilité, me mis moi-même au rancart de peur qu'on ne le fasse pour moi.

C'est alors que Gwendoline Dubois s'est faufilée dans mes songes. Cette femme est le personnage d'un roman d'autofiction en préparation. Concernée par les propos de ce livre, elle s'y est effrontément immiscée çà et là, témoignant de son parcours et de ses expériences. Comme un duplicata kaléidoscopique de moi-même, une ombre qui, plutôt que de faire ombrage, m'a aidée à apercevoir les infinies combinaisons de formes et de couleurs qui jalonnent la route des plus-que-quinquas. Gwendoline Dubois est à la fois totalement moi et totalement autre. Elle habite sa propre vie, éprouve ses propres émotions et traverse sa propre histoire. Vous la reconnaîtrez à sa calligraphie décalée, à droite, à ses lettres couchées. Et puis, elle est plus émotive et tellement plus heu... impudique.

Si vous êtes une femme vivant en Occident ou une femme occidentalisée, frôlant la cinquantaine ou vous promenant dans les décennies suivantes, Gwendoline Dubois, c'est vous. C'est toutes les femmes nées du baby-boom, que les historiens situent plus ou moins entre 1945 et 1960. Seulement au Québec, ces mutantes frôlent le million d'exemplaires. Si vous n'avez pas ce formidable privilège et cette terrible fatalité (rêve de jouvence éternelle) d'être l'une d'elles, Gwendoline Dubois est une femme qui fait partie de votre vie, que vous connaissez bien.

Ou que vous connaissez bien mal...

Le jour H57

Je contemplais idiotement une bouteille de ketchup lorsqu'une effraie a mis son gros cul sur mon épaule et ne l'a plus quittée. C'était il y a quelques années, au chic casse-croûte La patate d'antan. On sait, depuis Potter Harry, que certains sorciers ont un hibou prodigieux. Moi, je suis depuis ce jour talonnée par une chouette effrayante, stérile et visible seulement avec les yeux de la peur...

J'étais avec Adèle, la fillette qui m'a permis d'être grande-mère. J'avais 57 ans. Elle, 10 ans. Malgré que les bouteilles de ketchup aient trôné sur toutes les tables de mon enfance comme le lait, le pain et les patates, voilà que celle-ci m'obnubilait. Je découvrais, éberluée, qu'il était écrit, qu'il avait toujours été écrit, sur l'étiquette, Heinz 57. Comme une dédicace, ce gros phallus rouge et érigé me renvoyait mon âge dans le portrait. Tout se mit à basculer et à virevolter autour et au-dedans de moi : la pomme frite dans mon estomac rébarbatif, les bruits de vaisselle dans mon oreille labyrinthique. Pour en rajouter, Adèle la merveille m'annonça solennellement, à cet instant précis de mon vertige, qu'elle m'appellerait désormais Gwande-mèwe (prononcé à l'haïtienne) plutôt que Mami-Gwen ou que Momzézette, comme elle le faisait quand elle voulait faire sa petite comique. Vous voyez ma déconfiture ! Il suffit parfois d'un objet ridiculement usuel, posé dans un contexte affectif particulier, additionné d'un commentaire d'une petite-fille à sa mère-grand, pour faire céder la digue et provoquer une crise de conscience subaiguë. Jamais je n'aurais cru que la contemplation d'une insignifiante bouteille de sauce aux tomates m'infligerait un tel coup de sang !

Je pétai les plombs. Compris, d'un coup sec, comme si rien ne m'y avait préparée, que je serais, dans trois ans, marquée du chiffre du diable, le 60, alors que ce ketchup de merde continuerait d'afficher sans rougir, stoïquement, Heinz 57 ! Mais ne nous méprenons pas : en me levant ce matin-là, j'étais une femme heureuse. Et j'avais été, jusque-là, d'une indécrottable sérénité. C'est bien là le drame. J'avais cru figer ma joie candide, me scotcher, joyeuse et ingénue, au tableau de l'immortalité. Moi, si raisonnable, je me mis à dérailler. « Pourquoi donc ce putain de bordel de merde de vulgaire condiment avait-il été un produit de consommation convoité par ma généra-

tion, par celle de ma fille et celle de ma petite-fille, et le serait-il sans doute encore dans 50 ans par mes ayants droit lointains ???» demandai-je à Adèle, interloquée. Je veux, j'insiste, j'exige moi aussi de rester Gwen 57. «Pourquoi moi, Gwen 57, aurais-je une date de péremption ? Pourquoi devrais-je m'épaissir comme une vieille sauce ? Surir ? Tourner ? Pourquoi ne pourrais-je, moi aussi, rester consommable ? Pourquoi devrais-je m'aplatir dans le mur lézardé de la grise soixantaine ?» bredouillai-je, navrante, en regardant, sans la voir, une Adèle de plus en plus éberluée. Pendant que je réglais l'addition, j'entendis mon héritière qui chuchotait dans son téléphone mobile en s'éloignant : «Maman, il faut que tu parles à ta mère... Je pense que son élastique entre ses deux oreilles est pété... Je te jure, elle gueule sur la bouteille de ketchup... J'ai tellement honte.»

C'est donc les yeux noyés dans la sauce tomate de Gwen, l'âme dévastée, que j'entrepris d'écrire ce livre. Et que, sans l'avoir décidé, j'entrai en schizonévrose. Je me mis à entendre des voix. Ou, plutôt, une voix : celle de Gwendoline Dubois. Tantôt, elle me parlait. Tantôt, elle parlait à travers moi. Elle me coupait la parole, infiltrait mes pensées, me submergeait de ses états d'âme. À plusieurs reprises, je la chassai à grands coups de balai. C'était, par moments, insoutenable. Je ne savais plus qui, d'elle ou de moi, jetait mes ébauches à la poubelle. J'ai joué au yoyo avec ce livre : arrête, recommence, balance tout par-dessus bord, reprend de plus belle... Quatre ans à danser un méphistophélique tango avec ce savonneux sujet du vieillissement, qui me glissait, gluant, entre les mains. Ce livre n'intéressera personne, me disais-je. Qui donc aura envie d'entendre parler du déclin de l'empire corporel ? Certainement pas les jeunes femmes convaincues de leur glorieuse immortalité. Encore moins les *tabougénaires** qui croupissent dans le déni et

* Néologisme de mon cru. Personne qui atteint une décennie considérée comme taboue par la société ou par la personne elle-même. Certaines femmes sont tabougénaires dès 40 ans. Pour les besoins de ce livre, sont considérées comme tabougénaires les quinquas et leurs aînées.

le gommage d'années… Et puis, ai-je fini par me dire, tant pis si c'est un flop de librairie ou d'estime, pourvu que ça me soulage ! J'ai éprouvé des ennuis de santé. On n'a rien trouvé. Ça devait être « l'élastique » dont parlait Adèle qui était devenu trop lâche pour tenir ensemble mes différents morceaux ou qui, trop tendu, m'entraînait sur une corde raide. Je repris l'exercice une fois que j'eus refusé de souffler mes 60 bougies. À soixante ans et neuf douzièmes précisément, j'invitai Gwendoline à cesser de me faire suer et à se joindre à moi pour écrire à quatre mains. L'une après l'autre, chacune prit sa place sans plus relâcher. À deux, nous allions trucider nos peurs.

Jusque-là, j'avais toujours aimé vieillir. Sans blague. Alors que plusieurs vilipendent la cinquantaine, conspuent la quarantaine et vont jusqu'à recaler la verte trentaine, j'avais glissé sur le cap onctueux des décennies, dans une indicible quiétude que nulle tuile, épreuve ou souffrance n'avait menacée. J'ai été une adolescente indomptable. J'ai eu la vingtaine époustouflante, la trentaine mordante, la quarantaine enivrante, la cinquantaine ardente. La soixantaine… ? Je verrai bien la suite mais, à l'entrée, ses parages et son visage m'ont accablée, menacée, effrayée et sclérosée. La périsoixantaine m'a donné la colique. Elle m'a donné aussi, au sens propre et métaphorique, des crises d'urticaire, d'eczéma et de psoriasis. A troublé sérieusement mon équilibre mental. À chacune sa décennie tournante, grinçante.

En Amérique, les 50-65 ans constituent depuis 2008 la tranche d'âge la plus importante. Des centaines de millions de femmes sur la planète, nées entre 1945 et 1960, viennent de franchir ou franchiront bientôt un seuil fatidique, dénié et indéniable, une zone où les signaux annonçant les grandes turbulences clignotent de partout. Plus on a cru aux fontaines de Jouvence et d'éternité, plus on désavoue cet âge d'or imminent, qui n'a de dorure que le mot et qui est, en réalité, un âge jaune caca. Et plus le glissement dans le marécage est inattendu, traumatique. Le plus dur pourtant, j'en suis certaine, n'est pas de vieillir. Le plus dur est de vieillir *malgré*. Malgré tout. Malgré tous nos efforts, malgré tout ce qu'on nous a raconté, malgré tous les espoirs, promesses, rêves et mensonges, malgré ces sociétés où on voue un culte dithyrambique et maladif à la jeunesse et à la beauté, malgré ces environnements remplis d'autruches, la tête bien enfouie dans des sables *botulineux*.

Je suis désormais hors norme. Je suis entorse au jugement normalisateur. Je suis à côté du théorème jeunesse + beauté = droit de vivre et de s'épanouir. Mon corps et mon apparence corporelle concordent et concorderont de moins en moins avec les valeurs dominantes de l'univers dans lequel je vis et auxquelles on m'intime de me conformer. Ainsi m'exhortera-t-on à consommer et à performer pour rester consommable tout en me considérant, du même souffle, comme une injure à cet idéal hégémonique. Cela, c'est extrêmement troublant. Pénible aussi d'être forcée de faire une catharsis pour la simple raison qu'à de nombreux égards, nous avons été forcées d'être dans le déni. Moi, femme, amante, conjointe, mère, grande-mère, ex-pétard, battante, professionnelle et passionnée de toutes sortes de choses, me voici catapultée chez les asexuées, les laides, les sexagénaires, les* has been*, les ex, les plissées et froissées, les «frus». Ça n'arrive donc pas qu'aux autres!*

Où sont les boomeuses? Comme le Dieu du petit catéchisme gris de notre enfance, elles sont partout. Que font-elles? Elles font semblant de ne pas vieillir. Et cela leur bouffe du temps. Beaucoup de temps. Tout leur temps. Ont-elles le choix de faire autrement? Vieillir est insupportable. Alors, on triche, on gomme, on se raconte des balivernes, on fait comme si ça ne nous concernait pas. Il arrive avec l'âge ce qui est arrivé avec la minceur et la beauté à tout prix. Enfant, il fallait être belle. Ensuite, il nous fallut être mince et le rester. Désormais, le monstre est tricéphale: on n'a pas le droit d'être laide, pas le droit d'être grosse, pas le droit d'être vieille. En prenant du

* Au Québec, un pétard est une femme ou un homme canon.

galon et des années, on peut, à force, parvenir à ne pas être grosse. À la condition d'accepter d'être un peu molle. La tabougénaire est toujours *trop*, ou *pas assez*. Il faut la mettre dans une case : dodue, grasse et pâteuse ; ou maigre, sèche et cassante. Surtout, ne pas devenir vieille... Voilà l'impératif farfelu qui mène tout droit à la psychonévrose. Pour être reconnue, saluée, remarquée et applaudie, il faut être autre chose que ce qu'on est vraiment. Pire encore, il faut être autre chose que ce qu'on n'a jamais été. Et, là, ça se morpionne, au point de rendre barjotte. C'est totalement alambiqué.

Je refuse cela. Le problème, c'est que, prise comme toutes les femmes dans cette déferlante, je refuse tout autant de faner, de perdre mes moyens, de régresser, de rapetisser, de couperoser, de varicoser, de fleurir de pétales de coquelicots brunâtres, ces fleurs de cimetière. Où sont les boomeuses ? Comme Dieu, elles sont partout. Et, comme lui, elles sont invisibles. Elles sont, par leur nombre, dérangeantes comme une invasion de sauterelles. On les aperçoit, sortant furtivement de leur « retraite » pour faire quelques petites irruptions çà et là. Si on exclut l'ostéoporose, les régimes d'épargne-retraite, les couches pour adultes, les produits antirides miraculeux, les adhésifs ou dentifrices pour prothèses dentaires, les cliniques de chirurgie esthétique, les préarrangements funéraires et le Viagra (encore qu'au bras du *viagraman*, s'accroche le plus souvent une nana des générations X ou Y...), quand voit-on des sexagénaires dans les pubs ? Dans une histoire d'amour ou d'aventure ? Au cinéma ? On en fait tout un plat si un film met en situation des amants de plus de 50 ans. Dans la pornographie ? Il s'en trouve, oui, que l'on présente comme des bêtes de cirque, *vieilles salopes* ou *grands-mères trayeuses* mendiant une sodomie ou bavant pour une baise à quatre. Pourtant, les sexagénaires aiment et baisent elles aussi, tout simplement. Au Canada, on a assisté en 2008 à une augmentation des ITS[1] (infections transmissibles sexuellement) chez les femmes de 50 ans et plus. L'activité sexuelle à risques de la part des boomeuses peut en apparence contredire un sondage effectué par Dove[2] en 2006 dans neuf pays (du Brésil au Japon, en passant par le Mexique et le Canada), montrant que 97 % des femmes de 50 à 64 ans ne se sentent pas acceptées, côté apparence, par la société. Au contraire, tout se tient : avec une estime corporelle à 0 sur une échelle de 10, la femme a l'impression que l'amant lui fait une fleur en bandant. Comment pourrait-elle oser rompre le sortilège ? Surtout, ne pas lui couper le sifflet en sortant un préservatif !!! Risquons plutôt notre vie, il en reste si peu !

Grrrr… Et quoi encore ! Je hais la sonorité de la soixantaine. J'abhorre tout de ce que représente le clan des soixantenaires, culturellement, socialement, humainement, corporellement : retraite, maladies, hypertension artérielle, visages étirés, sourcils en accents circonflexes, clubs de marche, ligues de quilles, voyages organisés, ghetto, modération en tout, danse en ligne, bingo, nourriture allégée, solitude… Elle me déprime autant que la tonalité cliquetante du quinquagénat m'a galvanisée. C'est pour ça que je m'en mêle. Dans l'espoir que, une lettre après l'autre, chacune donnant la main à la suivante, je parvienne au bout des mots à une perception rassérénée du « vieillir au féminin » et de ce que cela représente. C'est trop difficile de vivre dans la détestation de la soixantaine sans se haïr soi-même. Non, mais il faut bien l'avouer : on aime les vieux tant qu'on ne fait pas partie de la bande, tant qu'on ne se fait pas offrir la réduction pour les aînés ! Comme je les trouvais charmantes, ces vieilles dames, avant d'être au seuil de leur communauté ! Et à quoi cela sert-il de nier que nous en sommes, ou que nous en sommes presque, quand la planète entière nous y confine ? L'enfer, c'est les autres ? Non, l'enfer, c'est le monde des vieux. Des vieilles, surtout. Pire que l'enfer, les limbes.

Et puis, j'ai la trouille… Mes parents sont morts alors que j'étais dans la vingtaine… Deux de mes frangins ont pris eux aussi la clé des champs infinis, à l'aube de la quarantaine pour l'un, de la soixantaine pour l'autre. Ma sœur aînée leur a emboîté le pas tout récemment. Je vis avec la hantise de la mort. C'est d'autant plus perturbant que je commence à peine, il me semble, à avoir un peu de talent pour la vie, l'amour, le bonheur…

Pourquoi les *femmes vintage* ? Par analogie, bien sûr, avec les grands portos millésimés. Pour rappeler qu'elles ont débarqué sur la planète durant cette période euphorique d'après-guerre ; pour souligner qu'elles sont inédites et non pas une copie moderne d'un ancien modèle ; parce que ce mot renvoie à une saveur haut de gamme et à l'authenticité. Rien de trop beau pour convaincre, et surtout pour me convaincre, que vieillir sans retouche, comme un tailleur de Lanvin ou de Chanel des années soixante, comporte des avantages et suscite de l'enthousiasme. Enfin, pour lancer la mode des femmes vintage : de l'original et de l'originalité, de la beauté pure et du grand chic.

Ce livre sera une bulle d'eau, potable j'espère, vite dissoute dans la grande marée océanique. Sans doute ne changera-t-il pas grand-chose à la difficulté de « vieillir au féminin ». Tant pis. Au moins, je ne me serai pas contentée de laisser aux seuls chirurgiens esthétiques la prétention de changer la face du monde en changeant la face des vieilles !

LA question préalable : que veux-je ?

La vie est bien trop courte pour être petite et pour ne pas être célébrée. Le temps de crier ta-bou-gé-nai-re, et hop ! une décennie est déjà derrière nous. Si on ne sait pas encore qui on est en entrant en sexagénat, c'est un peu tard, mais pas trop tard, pour se le demander. Jamais rien ne nous empêche de voir ce qui fait obstacle à notre mieux-être et à notre ravissement.

Je note où je suis rendue sur le boulevard Chronos et dès maintenant j'identifie et j'écris quel est le principal irritant qu'il me faut, de toute urgence, jeter hors de ma vie.

0-----10-----20-----30-----40-----50-----[60]-|----70-----80-----

Entrée Gwen-Jo Sortie

CHAPITRE 1

De fée à sorcière

Vieillir est mortel.
Vieillir est un péché.
Vieillir est un péché mortel.

J'avais apporté des livres. Diversifiés mais réunis autour d'un même dénominateur : Benoîte Groulx, Janette Bertrand, Mary Higgins Clark, Catherine Millet, Marie-Claire Blais, Nancy Huston, Hillary Rodham Clinton, Margaret Atwood... Vous avez piffé le dénominateur commun ? Ce sont tous des livres de vieilles, ou plutôt des livres écrits par des vieilles encore vivantes. Pas question que je lise de vieilles mortes cette année ! Déjà que je m'étais délectée, lors des dernières vacances, en effeuillant les « Marguerite » (Yourcenar et Duras). J'espérais que lire des vieilles, me promener dans l'univers de ces battantes, de grandes femmes accomplies, actuelles et actualisées, m'encouragerait. Dans l'avion, je relus la carte d'anniversaire de mon amie Francine qui était restée coincée dans une pochette de mon sac : « Tu as la folie douce de la vingtaine, la détermination de la trentaine, la beauté et l'élégance de la quarantaine, la lucidité de la cinquantaine et la sagesse des femmes sans âge ! » Chère Francine. Que c'est joli, ce mot. Et attentionné. Et litotique et euphémismique. Belle amie, ma folie n'a rien de doux, elle est brutale et violente. Ma détermination chancelle. Quant à ma beauté, elle s'évanouit au fil des minutes, me demande des heures de travail parce que je refuse les chirurgies, les infiltrations de produits déridants ou gonflants et tutti quanti. Mon élégance me coûte la peau des fesses, ma lucidité me fait souffrir et ma sagesse m'intoxique. C'est beau, les «femmes sans âge», mais c'est un fantasme de femme. Elles n'existent nulle part ailleurs que dans notre rêve. Tu le sais? Non. Tu ne le sais pas. Pas encore.

Je m'appelle Gwendoline Dubois. Pas très normal, pour une Québécoise pure laine, d'avoir un prénom pareil. J'en ai eu tellement honte quand j'étais enfant. Mon homme, un Français de chez les Français, a une gueule d'Italien et est affublé d'un prénom d'origine grecque surtout répandu en Russie et en Europe de l'Est. Il s'appelle Dimitri et n'a rien du Slave. Gwendoline et Dimitri, pffft!... Un peu surréaliste, et ça ne se limite pas à nos prénoms... La logique et la tendance de nos époques et de nos origines respectives auraient voulu qu'il s'appelle Philippe ou Bernard et moi, Louise ou Diane. Au fond de moi, j'étais une Louise et lui, un Philippe. À l'école, il enviait ces bienheureux Philippe et crevait de jalousie quand la maîtresse disait: «Formons deux équipes, les Philippe contre les autres.» «Les autres...» C'était si impersonnel, si humiliant de faire partie des «autres». De mon côté, bon an, mal an, 90% de la classe était composée des Louise, Francine, Nicole, Claudette, Ginette, Monique et Diane. La sœur, pour éviter la confusion, nous appelait par nos noms de famille. Les filles détestaient. Moi, j'adorais. J'avais si souffert des moqueries et des quolibets sur mon prénom (le plus fréquent étant «graine de linotte») que, quand l'enseignante hurlait «Dubois, fermez-la!», je croulais de bonheur.

Quant à Dimitri, que voulez-vous, belle-maman (je continue à l'appeler ainsi, ce qui la gonfle parce que moins d'années me séparent d'elle que de son fiston) rêvait d'exotisme et lisait beaucoup. Elle a dû en pincer pour un irrésistible Dimitri dans un conte de mille et une nuits. Le beau-père ne s'était pas opposé à ce que madame appelle ainsi son héritier. En fait, il s'en contrefichait, les bébés appartenant aux femmes. Le mien de père, un anglophile consommé, un colonisé fini, avait insisté pour me prénom-

mer Gwen, Shirley ou Brenda. Ma mère, pour une fois, s'était résignée à le laisser choisir le prénom de cette enfant tardive, aussi imprévue qu'imprévisible. Elle était au désespoir, elle me l'a dit. Vous imaginez? Il y avait déjà dans la smala Pierre, Jean, Jacques, Blanche, Claire et Aimée, et puis coucou! voici Gwen, Brenda ou Shirley Dubois. AÏE!!!! Elle a fini par plier, elle en avait plein son ventre. Elle céda pour Gwen en négociant d'y ajouter doline pour franciser un peu la sonorité. Connaissant le paternel, le petit côté dolly-poupée a sans doute contribué à lui faire accepter le compromis. «Et puis, on l'appellera Gwen, tu sais», lui avait-elle dit, doucereuse. Promesse de femme périménopausée et postpartoumée est aussi fiable que promesse d'ivrogne! Ainsi me baptisa-t-on Marie-Christiane-Jocelyne-Gwendoline Dubois. Pour finir le plat, en raison de ma naissance impromptue et imprévisible (ma mère est devenue enceinte de moi à 40 ans, en période stérile de son cycle et malgré que la médecine lui eût juré, à sa plus grande joie après six bébés, qu'elle n'aurait plus jamais de mioches), on disait que mon arrivée sur la boule tenait du miracle. De Dieu ou du diable. Et on m'appelait, selon les états d'âme du moment, mini-fée ou petite bitch.

Si Gwendoline, cela est documenté, est un prénom de sorcière, je n'en ai jamais eu la moindre prérogative. Pas de baguette, de potion, de tapis ou de formule magique. Aujourd'hui, j'en ai l'âge mais toujours pas de verrue, ni de nez crochu ou de chapeau pointu. J'ai donc abominé mon prénom. Vous ne pouvez savoir ce que c'est que d'avoir honte, tous les jours, dix fois, cent fois par jour, du nom propre qui vous identifie, vous définit, vous interpelle… J'ai commencé à faire la paix avec celui-ci vers 14 ou 15 ans. J'avais vu un film que j'ai longtemps confondu, dans ma mémoire, avec Bonjour tristesse de Sagan et dont je ne suis jamais arrivée à me souvenir du titre. L'héroïne était une adolescente de 16 ou 17 ans qui vivait une première histoire d'amour et de bobettes mouillées. À cet âge, on ne sait jamais si c'est notre cœur ou notre sexe qui bat si fort. J'avais été éblouie par sa beauté, ses *longs cheveux très noirs. Dans ma mémoire, une scène de ce film est gravée au tableau de l'immortalité : elle court sur la plage, désespérée, suicidaire, son visage divin, transfiguré, baigné de larmes. Elle vient de surprendre son papa s'envoyant goulûment en l'air avec l'amie de maman. Ce dernier (Burt Lancaster, peut-être), fou de désespoir, lui court derrière et hurle aux quatre vents : « Gwendolina !... Gwendolina !... » À partir de ce moment, je me suis inventé des ancêtres italiens, alors que j'ai du Huron dans les gènes, et j'ai prétendu que mon prénom véritable était Gwendolina. Aussi loin que je me souvienne, je cousais la réalité de fil blanc, je produisais des menteries comme une boudineuse produit du boudin. En fait, je ne mentais pas vraiment, je décorais la réalité. Bon, suffit pour la dissertation toponymique. Je reviendrai un jour sur ma vie tumultueuse dans un livre olé olé que je me consacrerai entièrement. Enfant, j'aurais voulu m'appeler Louise. À 60 ans, je voudrais m'appeler Zita. J'aime la lettre Z. Même si, après elle, il n'y a plus rien.*

Des portes tournantes... grinçantes

On passe de fée à sorcière, imperceptiblement. L'usure s'insinue en nous, subreptice et sournoise, au fil des ans. Elle viole notre intégrité à petite lampée. On a l'impression que les flots du temps nous lèchent sensuellement, nous donnent un petit goût salé, alors que ses lames grugent, érodent, ruinent nos berges... On ne sent rien, on ne voit rien et puis, d'un coup, l'érosion, qui a vachement fait son travail de sape, dans le vif de nos cellules, dans nos pores, dans nos cheveux, sous le derme, nous fait BEU ! Ce jour-là, on se regarde dans la glace, et c'est le choc. On se dit que le big-bang, la formidable contraction / expansion de l'univers, n'est rien en comparaison de la composition / décomposition de notre vaisseau corporel ! C'est un moment terrible. On est là, prostrée, à se demander à qui appartient cette combinaison de peau trop grande dans laquelle on flotte, à jauger la possibilité d'y faire prendre quelques coutures...

C'est autour de 55, 56 ans que je me suis mise à redouter l'immonde soixantaine. Et que j'ai commencé à échafauder des plans de folle pour y échapper. À 59 ans, tout va s'arrêter, ruminais-je. Ou j'aurai écoulé mon temps et on me rappellera dans l'inexistence, ou j'arrêterai le cadran, je m'épinglerai, en pleine cinquantaine fredaine, au grand tableau des incorporels. Moi qui n'avais jamais cru au père Noël, je ne croyais plus qu'en lui. Et en Dieu. Je me suis mise à prier. J'ai été étonnée de constater que je me rappelais toutes ces litanies apprises chez les religieuses de Saint-Joseph. Seule la prière préconfession, appelée acte de contrition, ne me revenait pas au complet. Saint Sigmund aurait sans doute une explication pas catholique à cela. Attendez que je me souvienne…

«Acte de contrition, mon Dieu…»

Ainsi gémissions-nous agenouillées devant un prêtre se profilant derrière la grille d'un sombre isoloir.

«… j'ai un extrême regret de vous avoir offensé…»

Pfft!… Il n'y avait d'extrême que notre peur de l'enfer.

«… parce que vous êtes infiniment bon, infiniment aimable et que le péché vous déplaît…»

C'est connu qu'on ne peut pas plaire au Père infiniment parfait et à son père, infiniment imparfait!

«… Pardonnez-moi par les mérites de Jésus-Christ mon sauveur…»

Je n'arrivais jamais à me souvenir de quoi au juste il m'avait sauvée… Et, là, trou noir, je ne me rappelle plus la suite.

Pour arrêter le temps et pour rattraper le temps perdu en impiété et en agnosticisme, je devins une fervente allumeuse: de lampions, de cierges, de chandelles, de bougies et lumignons, grands et petits, de toutes les couleurs. J'embrasai ainsi la cathédrale Saint-Antoine de Longueuil, lieu du mariage de ma mère (pourquoi est-ce que je ne dis jamais «mariage de mes parents?»); Notre-Dame de Paris, qui est sur le chemin de l'appart que M. Beaumarchand nous loue quelques mois par an à Paris; la chapelle de Mézériat où mon homme a hérité, avec sa tribu de cousins-cousines, d'une ruine bressane ; la cathédrale de Brou, près de chez belle-maman ; et même l'église du village de l'Ubaldine-sur-le-Lac où nous avons nos quartiers d'été... Ces pèlerinages dans les nefs angéliques m'ont permis de me rendre compte que la cire divine est toujours offerte sous forme phallique. Jamais de formes rondes, mamellaires ou utérines. Partout, pour expier ou quémander l'indulgence divine, j'étais forcée d'allumer des dards. Des dards brûlants et pénétrants.

Dans les nefs silencieuses et vides, je prenais des bains de chaleur. Chaleur de cire dressée puis fondante, coulante, odorante. Résultat : entre mes poussées de fièvre dévote, je me masturbais frénétiquement. J'étais possédée d'un leitmotiv charnel : décrépissons mais orgasmons ! La jouissance me confortait dans mon statut de vivante. Je vous entends penser que les sorcières sont toujours de vieilles édentées masturbatrices dont pas un homme ne veut. Détrompez-vous. J'ai bien quelques implants (dentaires, pas mammaires !), mais bon, j'ai des dents et un homme désirant et désirable, souvent prêt et dispos à se mettre sous celles-ci. D'ailleurs, il a toujours été bien présent et proactif dans mon cinéma intérieur, lors de ces épisodes auto-mystico-érotiques. Comment dire... ? En approchant ma soixantaine, je continuais à trouver les hommes alléchants, à désirer le mien, mais je ne m'autorisais plus à jouir avec lui. Ou en sa présence. Je trouvais grossier qu'une presque sexagénaire grimpe au septième ciel sous le regard de l'autre. Je voulais lui épargner un spectacle obscène : la vue d'un corps délabré jouissif. Ou pire, la vue d'un corps qui jouit en se délabrant et qui se délabre en jouissant.

Aussi, je réalisai brusquement l'écart d'âge entre Dimitri et moi, écart qui ne m'avait jamais dérangée auparavant. Pfft !... Une petite décennie et des poussières n'était rien, tant que nous étions, lui dans la quarantaine et moi dans la cinquantaine ! Mais à partir du moment où j'allais mettre le pied au sixième palier, tandis que lui flânait encore deux étages plus bas, rien n'alla plus. Je me mis à me prendre pour sa mère, alors qu'il en avait déjà une qui, à bonne distance, lui suffisait amplement. L'aube de la soixantaine m'a tellement perturbée que j'en suis tombée malade : apparence de problèmes cardiaques, pression artérielle jouant au yoyo, difficultés respiratoires, perte de poids significative… Je n'étais plus capable de digérer. Je n'étais plus capable de respirer. Je marchais à peine. J'ai subi tous les tests et examens médicaux possibles et impossibles. On m'a hospitalisée. Enlevé la vésicule biliaire. Pour rien. On a failli me tuer lors d'une coronarographie. On m'a autopsiée vivante. Rien trouvé. Rien d'intéressant. On m'a déclarée saine. De corps.

Entre 57 et 60 ans, j'ai passé mes nuits dans un no woman's land, à me morfondre d'inquiétude. Pour ma fille : l'ai-je bien aimée ? À crever d'angoisse pour ma petite-fille : avec un père invisible et irresponsable, sera-t-elle une fille manquée ? À me raconter que mon bien-aimé me plaquerait bientôt pour une bimbo. Impotente totale, plus même capable de donner une conférence, un jeu d'enfant pour moi avant. Avec le recul, je soupçonne que, pour occulter mes 60 piges imminentes, j'essayais de bondir directement dans l'octogénat ou, qui sait, de me jeter dans les bras d'Orphée, de l'autre côté du miroir…

Entrée chez les SS

J'avais bien averti mon homme, ma fille, mes amies : surtout, que personne ne souligne mon intronisation chez les SS, cette tribu de sacrées seniors ou, selon mes humeurs, de sorcières séniles ou de sordides sexagénaires. La plus belle marque d'affection qu'on puisse me témoigner le jour de ce monstrueux jubilé : oublier mon existence. On chuchotait dans mon dos que j'étais au creux d'une dépression. Rien de plus faux. J'étais au pinacle. Je régnais au sommet de mon refus global, subit, absolu, de devenir vieille, moche, lente, puante, débandante. Je décidai que je passerais le jour de mon entrée chez les SS seule. Loin de tous et de tout. Une balade au pays de la pensée magique était ce qu'il me fallait. Je choisis le top du top, le nec plus ultra, au risque de vivre dans l'indigence ensuite, pour le restant de mes jours. Je réservai ma place dans un spa-hôtel «vingt-cinq étoiles» en bord de mer. Voilà qui m'aiderait à conjurer le mauvais sort! Vingt jours à me faire pétrir, masser, dorloter, bichonner, huiler, gommer, satiner, sabler, envelopper, tartiner, savonner, shampouiner… À m'empiffrer d'antidotes, de contrepoisons, de capsules vitalisantes, de philtres de jeunesse: antioxydants, algues et thés plus verts que vert, oméga-3, 7, 14 et 21, glucosamine, vitamine B60, chondroïtine, mélatonine, silicium organique, acidophilus, xango, jus de mangoustan, resvératrol, diméthylaminoéthanol, phyto-œstrogènes… Vingt jours à déployer mes poumons comme de grandes voiles roses, pour respirer les ions négatifs du matin, à me laver d'eau et d'air salins, à me dorer sagement sous les nuages lilas… J'y prendrais un sacré coup de jeune! On ne me reconnaîtrait pas à mon retour sur la planète des guenons. Certaines se paient des vacances chirurgicales de transformations extrêmes. Moi, je reviendrais transformée de cette escapade beauté-santé-jeunesse-sensualité. On allait me requinquer les contenus et me reniper les contenants. Il y a des gens qui prennent des années en un jour, lors d'une grande épreuve. Qui n'a pas entendu parler d'une personne dont les cheveux ont blanchi entre l'apéritif et le digestif? J'accomplirais l'inverse. Je ferais la démonstration que, si on pouvait prendre 10 ans en 10 minutes, on pouvait certes en perdre 20 en 20 jours. Une année de gommée par jour, c'est quand même plus réaliste et réalisable qu'une année encaissée par minute, non?!

Abattu et impuissant, Dimitri se résolut à me laisser partir. Le fait que je serais seule et si loin pour mon anniversaire le peinait profondément. Il abdiqua sans vraiment comprendre. Mon spleen et mes états d'âme le déconcertaient. Nous vivions souvent de longues périodes l'un sans l'autre, chacun de son côté de l'Atlantique, mais nous avions toujours nocé ensemble, lors de nos anniversaires. Il tint à m'offrir cette folie douce. «En cadeau de non-anniversaire», me dit-il.

À la librairie de l'aéroport, je tombai, en bouquinant, sur Le Guide de la soixantaine. *Il n'y a pas de hasard, direz-vous… Voici ce qu'en disait plus ou moins la quatrième de couverture: «60 ans, c'est le début de la fin. L'âge où on échangerait bien sa femme contre deux de 30 ans, où le sport devient une discipline télévisuelle, où le désir sexuel n'est plus qu'un lointain souvenir, où les pantoufles sont devenues des compagnes habituelles, où les rendez-vous chez le médecin se multiplient, où l'on est tout fier de son abonnement à* Potager et Jardin, *où l'on sait tout mieux que les autres même si on se trompe tout le temps…» «Un ouvrage qui met le doigt là où ça fait mal», tranche l'éditeur. Nul à chier, pensais-je. J'ai acheté, croyant que la dérision et l'intention canaille totalement ratée de l'éditeur me dérideraient. J'ai feuilleté dans l'avion, sans jamais qu'une ligne de ce sottisier déclenche le moindre semblant d'esquisse de début de sourire. Et j'ai mis sans tarder la chose dans une poubelle des toilettes de l'avion. Moi, si verte, je ne voulais même pas que cette ordure soit récupérée d'aucune façon, et, surtout, pas question que ce navet débile me suive plus longtemps.*

Arrivée au paradis terrestre, je fus bienheureuse. Tout était au-delà de mes attentes: environnement bucolique, climat idéal, chambre princière, sable fin et soyeux, plus doré que l'or. La mer, plus turquoise que turquoise. Les draps de coton égyptien, floconneux et parfumés de grand air. Les fleurs, les parfums, les saveurs… L'enchantement, le bonheur, au plus-que-parfait de l'indicatif présent. D'emblée, je sus que je rentrerais de ce nirvana fraîche et légère, rajeunie et sexy, svelte et lissée, belle et resplendissante. Plus-que-parfaite.

La peste de la soixantaine

Pile poil le jour de mon anniversaire, soit le troisième jour de mon arrivée dans l'éden, la pétéchie me tomba dessus. Je recevais un massage exotique à quatre mains, expérience qui m'avait été promise comme l'Olympe corporel et sensuel. Sublimes, les patoches des deux géants-masseurs couvraient, à elles quatre, presque toute mon abjecte nudité. Sensations sans fin d'être envahie, prise, pelotée par des pieuvres, dont les innombrables tentacules se terminaient par des coussinets spongieux et pénétrants. Allez donc savoir pourquoi mon délinquant de corps se rebiffa et fut saisi, sans crier gare, d'un colossal spasme musculaire. Je ne pouvais plus bouger, pas même descendre de la table de massage. Le céleste traitement, au lieu de me dénouer, m'a toute nouée, de la tête aux pieds : mes orteils se sont entortillés les uns par-dessus les autres, mes cheveux se sont séparés en dreads, j'avais la bouille de quelqu'une qui, détrempée, se serait lovée autour d'un pylône électrique. Je n'ai rien compris au diagnostic du médecin asiatique, mais je suis rentrée à ma chambre recroquevillée sur une civière plutôt que dans mon carrosse doré. J'ai souffert le martyre. Je n'ai plus profité d'aucun massage, soin, bain ou enveloppement. Ni de la mer, ni de la plage. Ni des ions négatifs du matin. On me fournit un trône roulant et je passai le reste de cette cure de jouvence-beauté-santé-sensualité assise, à faire du roulis-roulant de mon balcon à mon lit et de mon lit à mon balcon… On m'apportait mes repas en chambre si je le souhaitais. Ou, horreur suprême, un boy en patins à roues alignées poussait ma chaise à roulettes. L'esthéticienne me visitait avec dévotion, comme si on avait voulu compenser l'absence de soins corporels par une panoplie excessive de traitements et d'applications faciales. Elle s'acharnait à faire quelques miracles de ma figure horrifiée et tuméfiée de sanglots. Mes larmes combinées avec l'air iodé salaient mon visage en permanence ; j'avais la face comme un poisson en croûte de sel. Et ça n'est que la veille de mon retour sur Montréal que j'ai pu recommencer à me tenir debout et à faire quelques pas de chat. En pesant mes mots, une syllabe après l'autre, j'affirme que le jour de mon soixantième anniversaire de naissance et les semaines l'entourant furent les plus éprouvants de toute ma vie. Foi de sorcière, ce fut un calvaire. De plusieurs milliers d'euros. Pauvre Dimitri !

*Je m'étais rêvée olympienne comme «*Anjolina*» pour retrouver «*Bradmitri*». C'est plutôt Angélina Desmarais*[3]*, vissée sur sa canne, qui débarqua à l'aéroport de Montréal. À l'arrivée des passagers, je cherchai piteusement Dimitri. Je l'imaginai caché derrière une colonne, épiant la rombière boiteuse que j'étais, se demandant ce qu'il fabriquait avec une telle poufiasse. Je l'aperçus la première. Je le trouvai beau, sain, viril. Et jeune. Même sa calvitie était érotique. Son baiser vigoureux me stupéfia. Des lèvres qui chuchotent dans la bouche de l'autre: «Arrive! Que je te baise!» Quel effronté! Pervers polymorphe. Comment pouvait-il ne pas s'apitoyer sur mon sort de décrépite? Ne pas s'émouvoir sur ma carcasse souffrante...? Il ne peut quand même pas bander, saliver sur moi! Il doit se gaver de Viagra en cachette pour m'épargner sa verge penaude, sa queue mollissante à mon contact. À moins qu'il ne se soit tartiné de porno sur son portable en m'attendant...? Autrement, il est gérontophile, presque nécrophile... Dans sa prunelle, chatoyante comme l'œil d'un chat, je me vis. La bonne femme que j'aperçus, aussi clairement que dans une glace, me glaça. C'était ma mère, à 60 ans, quelques années avant sa mort. En fait, parce que ma mère a accouché de moi sur le tard, mes souvenirs d'elle sont ceux d'une femme, d'un corps de femme qui ne vieillit pas mais qui n'a jamais été jeune. Depuis le premier souvenir que j'ai d'elle, approchant la cinquantaine, jusqu'à sa mort foudroyante à 68 ans, elle est restée la même. Seule sa coiffure changea. Pour moi, ma mère a été, était et sera à jamais une femme d'environ 50-60 ans, trottinant dans des robes légères, imprimées de petits fruits ou de petites fleurs, hiver comme été. Je la trouvais très belle, gracieuse, différente des mères de mes amies qui avaient 20 ans de moins. J'envie mes frères et sœurs aînés qui ont conservé d'elle des souvenirs de la jeune femme qu'elle a été.*

Dimitri est la quadrature de mon cercle amoureux. Le quatrième homme de ma vie, parmi ceux qui ont compté. Lorsque nous nous sommes connus, je me souviens d'avoir eu l'impression, en me calant entre ses bras, de rentrer chez moi après des siècles d'itinérance. Je me souviens aussi que nos corps se sont emboîtés comme s'ils l'avaient fait depuis la nuit des temps. Je me souviens encore que nos peaux se sont reconnues, ont humé leur parenté d'odeurs et de texture. Je me souviens que nous avons d'instinct reconnu nos contours. Je me souviens qu'après nos premiers reniflements, les choses ne se sont jamais déliées entre lui et moi. Je me souviens qu'il m'a dit, lors de notre deuxième rencontre, que nous étions un couple millénaire. Et que j'avais trouvé cette remarque ridicule. Ridiculement touchante.

Dans l'horoscope chinois, un cycle de 12 ans nous sépare et nous réunit dans la famille des Rats, alors que l'astrologie classique fait de nous des vis-à-vis cosmiques. J'aurai toujours 12 ans d'avance sur lui. Il conteste énergiquement que je mourrai avant lui. Son argumentaire : puisque les hommes meurent sept ans avant les femmes et que l'espérance de vie des gauchers est de cinq ans inférieure à celle des droitiers, nous devrions, théoriquement, tirer notre révérence en même temps ! Pfft !... Qu'est-ce qu'il est chou ! N'importe quoi pour me rasséréner. Ce qui m'énerve quelquefois, c'est de savoir que, lorsque j'aurai quitté ce cycle de la vie, il gardera de moi le souvenir d'une femme de 50, puis 60 ans et plus... Jamais il ne pourra m'évoquer à 20, 30 ou 40 ans, dans tout l'éclat de ma jeunesse et de mon insolente beauté. Dans sa boîte à images, j'aurai été et je serai à jamais une femme vieillissante. Cela, j'insupporte.

Voilà. Je me rappelais que dans le film The Exorcist, *le chiffre 6 est la marque du diable. J'avais oublié que le latin de six est sex... Et que, même si ce nombre n'était pas imprimé sur mon cuir chevelu comme il l'avait été sur celui de Damien, le diable, lui, me décocherait sa fourche, noire et charbonneuse, à 60 ans. Jusqu'à l'île de Jouvence, muée en île de la Torture, je l'avais juste pressenti. Mais, là, dans cet atoll, je l'avais éprouvé dans ma chair. Et j'avais ressenti, dans toutes les cellules de ma peau, de mon cerveau, de mon sang et de ma lymphe, l'antithèse de ce que j'avais escompté, de ce que j'étais allée y chercher. C'en était fait. Les dés étaient jetés : je vieillirais. Idiote, je mis du temps à me rendre compte que ces dés qui roulaient devant moi avaient été jetés 60 ans auparavant... Mes fluides corporels ne transportaient plus que des vaisseaux faiblards sur lesquels étaient écrites des dates de péremption toutes proches. Il y a des années-lumière entre le savoir cérébral et le savoir organique. Je compris alors que j'avais beau être pas mal, paraître dans mes bons jours 10 ans de moins, mon corps avait de l'usure. Je chialais qu'il était joliment usé, alors que Dimitri s'émouvait qu'il fût usé si joliment. Peu importe les jeux de mots, ce que l'on redoute nous prend toujours au dépourvu.*

Certaines décennies sont subversives. Certains tournants sont périlleux. On a beau les voir venir, les redouter, ils font l'effet d'un coup de matraque. Brusquement, la machine s'enraye, s'en va chez le diable. On ne peut plus courir, skier, nager, pédaler, baiser avec la même *drive*, la même souplesse, le même rythme qu'avant. On ne peut plus travailler à la même cadence, cuisiner les mêmes plats, manger les mêmes mets, boire autant de vin. Un certain samedi, on bouge bien, on a la forme, puis le lendemain tout grince. Alors, les dimanches sont mortels.

Beaucoup d'appelées, toutes élues

À partir de 55 ans, on parle d'âge d'or. C'est d'un ridicule ! L'or est un métal souple qu'on peut fondre et façonner. L'âge de cristal ou de jade serait plus approprié. De cristal, parce qu'on est fragile. On s'ébrèche. On craque de partout ! On risque de se fissurer à chaque instant. Comme le cristal, on devient limpide... Le jade conviendrait aussi, puisque cette pierre semi-précieuse se transforme et se colore, dit-on, selon les expériences de celle qui la porte. De plus, c'est un matériau lourd. Comme le poids des ans. La femme s'appesantit après la cinquantaine. La taille s'est épaissie, le sein s'est empâté. Peut-être est-ce pour cela que nombre d'entre elles éprouveront le besoin de se délester, au sens propre comme au sens figuré.

Elles cesseront de s'embarrasser de biens, de meubles et de poussières de meubles, de vêtements inconfortables et, parfois, d'amis ou de maris ankylosants. Je suis toujours frappée, dans les aéroports, près des carrousels à bagages, d'observer les femmes plus jeunes, empêtrées dans de lourdes et grosses valises, alors que leurs aînées voyagent bien plus léger. Elles ont appris. Se détachent de l'encombrant, de ce qui n'est pas essentiel. Les femmes de cet âge répètent rarement la même histoire. Elles ne reviennent pas sur leurs pas. Elles *recommencent* rarement, *refont* moins que les hommes une seconde vie sur le modèle initial. Elles continuent, poursuivent, font les choses autrement.

La cinquantaine, c'est bien plus que le mitan de la vie. On joue à l'autruche quand on prétend qu'à 50 ans on est à mi-chemin de la fin. La moitié active est déjà loin derrière, vers 40 ans. Plusieurs quinquas se perçoivent nettement comme des femmes un peu plus mûres que mûres, état qui précède celui de blette, de « trop mûre ». En postménopause, la femme entre en possession de ce triste pouvoir de disparaître, d'être invisible. Bien vivante pourtant, et souvent plus créatrice qu'elle ne l'a été au cours de sa vie fertile, elle s'éclipse de l'agora sociale : perte de pouvoir sur les hommes, de place sur les couvertures des magazines, de présence dans les pages de ceux-ci. Et lorsqu'elle se matérialise dans la fiction populaire ou les bandes dessinées, c'est trop souvent sous la forme d'une harpie ! On connaît tous et toutes une burlesque Castafiore, une maligne fée Carabosse, une belle-mère indiscrète, une harpie centenaire au bureau, une insupportable vieille voisine... Même les sondages l'oublient ou la noient dans la cohorte des inféconds de 59 ans et plus. C'est burlesque et fallacieux de laisser ainsi croire que la fraîche *sexygénaire* et la presque centenaire puissent être constituées de la même trempe et de la même étoffe, vivre des expériences semblables et partager des émotions, des valeurs et des passions comparables !

C'est là, il me semble, une partie du problème et peut-être une explication partielle du désarroi des femmes post-quinquas : il n'y a pas de niche pour ces fées de l'an 1 à l'an 19 de ce que j'appelle le *sexagénat*, pour ces femmes qui occupent l'espace entre la maturité glorifiée des quadras et la vieillesse octogénaire. Tant et si bien qu'on a tendance à parler d'elles au passé. Je lisais récemment un texte qui évoquait à peu près ainsi la femme de 50 ans : « Elle a connu, a appris, a souffert, a joui, a aimé... » Pourquoi cette conjugaison au passé composé, l'invitant à se décomposer prématurément ? Que cela plaise ou non, scandalise ou non, elle connaît, elle apprend, elle souffre, elle jouit, elle aime au présent. Selon la moyenne, de 100 à 120 saisons se profilent encore devant elle. Laissons-la donc s'en saisir et en faire son affaire de ces hivers de givre et de ces printemps vert tendre ! Il m'aura fallu descendre au fond du gouffre, au bout de ma phobie de faner, pour mesurer l'impact qu'a eu sur moi le féroce tabou du vieillissement. De plus en plus, je crois que ce stade de la vie, entre la pleine maturité et la vieillesse, sera un temps jubilatoire, d'appartenance à soi-même et de plein ancrage dans l'instant présent. Pourquoi ? Tout simplement parce qu'on a mis tout ce temps, le temps qu'il fallait, pour apprendre que la vie est fugitive, unique, irremplaçable. C'est bien tard qu'on comprend, finalement, que les choses prennent du temps.

De la même façon que l'adolescence est un épisode de la vie qui n'existait pas il y a un petit siècle, que nous avons dû inventer pour nommer une réalité toute neuve, il nous faut convenir d'une nouvelle étape de la vie, produit de l'évolution, avant la vieillesse. Il est incongru de croire que, dès que cesse la fertilité physiologique, en début de cinquantaine, survient le spectre de la vieillesse, comme autrefois. Pourquoi y aurait-il plusieurs degrés de transformation jusqu'à l'âge adulte puis, à partir de là, plus aucune marche, seulement une grande enjambée dans l'enclos des vieux ? Il y a cinq étapes avant l'âge adulte : la petite enfance (0-5 ans), l'enfance (6-9 ans), la puberté et la préadolescence (10-12 ans), l'adolescence (13-19 ans). Cinq étapes sur 20 années de croissance. Qu'est-ce qui justifie qu'il n'y ait ensuite qu'une grande marmite d'adultes, puis de vieillards ? En phase avec le processus chronologique, ne devrait-il pas y avoir au moins autant d'étapes jalonnant les 60 ou 70 années suivantes ? On pourrait parler d'adultisme* (20-35 ans), de

* Adultisme : caractère du comportement adulte.

maturité (35-50 ans), de pré-adultescence* et de la plaque tournante que constituent les années de périménopause et de périandropause (50-60 ans), de l'adultescence (60-75 ans), et enfin de la vieillesse (75 ans et plus). La période de 60 à 75 ans correspond vraiment à cette génération charnière, entre la pleine maturité et l'âge avancé, plus vulnérable et parfois dépendante. Les *soixantards* et les jeunes *septentards* sont dans une sorte d'adolescence automnale, un noviciat où tout est permis. Le soleil descend. Vous savez ce que c'est, un soleil couchant. Il décline vite et n'a surtout pas besoin qu'on lui pousse dessus pour basculer derrière l'horizon.

C'est le propre de nos sociétés de mettre dans une espèce de fourre-tout de l'inactivité et de l'inaction tous les âges suivant l'arrêt de la fertilité et des fonctions parentales. Dans un distrayant billet publié à l'occasion de la fête des mères, Nathalie Petrowski[4], elle-même quinquagénaire, évoque la soixantaine comme étant « l'aube de la marchette » ! Ainsi se projette-t-elle, dans un billet d'humour, au moment où fiston quittera le giron familial, vers 29 ans, âge où les Tanguy de ce monde ont l'audace de se sevrer de la mamelle parentale, en cessant de phagocyter leurs vieux. En évoquant, même en boutade, les femmes de 60 ou 70 ans comme des aïeules trop délabrées pour tenir debout toutes seules, elle taquine le préjugé. Comme si la vie et les jambes d'une femme flageolaient et s'effondraient avec le nid qui se vide[5] ! Un filet de bave dans les poils du menton, avec ça ? Métaphores et railleries sur une hypothétique soixantaine souffreteuse cristallisent le complexe, alors que pourrait souffler sur cette décennie une petite brise de liberté, de disponibilité et de disposition au plaisir. J'ose croire qu'on puisse être sexagénaire sans se percevoir ou sans être perçue comme une aïeule grabataire ou comme une vieille pomme *nymphomaniaque* !

Voici donc qu'aux syndromes prémenstruel, ménopausique et *postpartoumesque* s'ajoute celui de la décennie grinçante, caractérisé la plupart du temps par un écœurant sentiment

---

* Adultescence ou adultessence : néologisme de mon cru désignant la période suivant la pleine maturité et précédant la vieillesse.

d'impuissance, de laideur et de déchéance, impulsant un élan à se projeter en avant, aux portes de la maison d'Orphée. Un microbe inoculé par une société malade de jeunesse, extrêmement contagieux, pandémique et endémique, affectant des millions de baby-boomeuses dans le monde. Sans vaccin, il est inutile de s'en laver les mains pour tenter de s'en prémunir. Le seul moyen de le combattre est de remplacer dans la marmite les ingrédients contaminants que sont la peur, les faussetés, la fatalité, l'ignorance et la pensée magique par des denrées saines comme l'audace et la confiance, l'estime de soi et la connaissance, le sens de la fête et la prise de pouvoir. La soixantaine joyeuse et vigoureuse n'a pas de précédent. À nous de l'inventer, de nous l'approprier. Pour une bonne vingtaine d'années. Jusqu'à la vraie vieillesse.

Première résolution

On vieillit chaque seconde, chaque jour, goutte à goutte. Mais on vieillit aussi par saccades, par paliers. Il arrive que l'on campe longtemps sur la même plate-forme[6]. Alors, on ne réalise pas que vogue le radeau et qu'avance, imperturbable, la grosse machine à avaler le temps. On se croit oubliée ou, mieux encore, on a oublié qu'on est un petit météorite de chair, de sang et de conscience à bord d'une planète filante. Et puis, vlan! Au moment où on ne s'y attend plus, on prend 10 ans. Et la peur nous empoigne : et si les standards culturels de beauté auxquels on correspond de moins en moins nous éloignaient de la vie... ?

* * *

Le jour où je fêterai ou persiflerai ma prochaine dizaine, mes 50, 60 ou 70 piges, je me ferai une petite retraite intérieure pour prendre conscience que j'écris désormais le dernier ou l'avant-dernier épisode de mes éphémérides. Alors, pas de barbouillage ni de griffonnage ! Je vais calligraphier fièrement ce segment de mon histoire, de ma plus belle plume, bien au cœur de la page. Surtout pas en marge, en m'excusant ! L'heure n'est plus aux détours. Je jurerai, en soufflant mes bougies ou en me saoulant la gueule, de prendre désormais tous les raccourcis possibles vers le bonheur. À partir de ce jour, chaque fois que je serai devant une alternative ou un choix laborieux, je me demanderai : et s'il me restait une année à vivre, qu'est-ce que je ferais ?

Poser la question, c'est y répondre.

CHAPITRE 2

Miroir, aïe ! Miroir !

L'histoire de notre vie, son panache et ses déconvenues se calligraphient sur le visage et sur le corps. Et leur donnent vie. Les rendent uniques au monde.

C'était un langoureux jour d'octobre, il y a quelques années. Nous étions au magnifique Théâtre des Champs-Élysées, à Paris, où nous assistions, Dimitri et moi, à une représentation de la pièce Si tu mourais *de Florian Zeller. Arrivés à la dernière minute, nous nous étions faufilés vers nos sièges dans la pénombre. L'histoire : une femme, jouée par la merveilleuse Catherine Frot, soupçonne son mari, qui vient de mourir, de lui avoir été infidèle. Des acteurs sublimes, une histoire bien ficelée, le sortilège… jusqu'à l'entracte. Les lumières s'allument brutalement et, là, c'est la stupéfaction. De nos sièges qui s'avancent discrètement au-dessus du parterre, nous avons une vue imprenable sur le peloton de spectateurs qui y prennent place, et ce que nous voyons est bien plus tragique que le drame qui se joue sur scène. Dimitri et moi, nous nous regardons, sidérés, envahis du même sentiment d'incrédulité : « Mon Dieu ! On dirait une galerie de monstres ! murmure Dimitri. Des monstres de… beauté. » Rarement ai-je eu l'occasion de voir un tableau vivant si carnavalesque. Des femmes, peut-être une douzaine, toutes plus ou moins pareilles ! Plusieurs d'entre elles sont avec leur homme, et tout ce « beau linge », âgé, je dirais, de 60 à 79 ans, est frémissant au masculin et pétrifié au féminin. La vue de cette scène plante en moi l'idée de récrire un certain livre à succès sur les origines planétaires opposées des hommes et des femmes. Le nouveau titre serait :* Les hommes viennent du centre de conditionnement physique, les femmes viennent de la clinique de chirurgie plastique ! *C'est pas pour être méchante, elles sont vraiment désolantes. Toutes moulées dans la même combinaison physionomique et corporelle, cirées, embaumées, prêtes à être inhumées. Les momies que j'ai aperçues dans les tombeaux égyptiens et les guerrières chinoises d'il y a 2000 ans que j'ai vues à Xian sont fraîches et pimpantes en comparaison. Ces femmes ne sont pas laides parce que vieilles. Elles sont laides de beauté-toc, laides d'avoir perdu leur humanité faciale, laides de vide émotionnel : visage cireux, tiré à se fendre, bouche fixée au collagène, yeux immobiles de poisson frit, front paralysé, sourcils enragés d'accents circonflexes même lorsqu'elles s'efforcent, vainement, de sourire…*

On assiste à l'avènement des femmes photocopiées. Dans leur acharnement obsessionnel pour rester belles et jeunes, plusieurs finissent par avoir l'air d'une imitation rigidifiée de la morphologie humaine. Leurs traits d'origine sont disparus derrière un visage sérigraphié, décalqué sur un cliché facial au goût du jour. Existe-t-il quelque chose qui trahisse plus l'âge qu'un pastiche de jeunesse ? J'entends d'ici vos commentaires. On me les a déjà faits moult fois : « Quand ça se voit ainsi, c'est parce que c'est mal fait… » « Cela peut être très léger. » « Mon amie l'a fait pour ses yeux et elle a rajeuni de 10 ans. » « C'est une question éminemment personnelle… » Pour l'instant, ne retenez que ceci : je ne suis pas contre les femmes qui subissent des transformations esthétiques. Pour l'instant, contentons-nous de souligner que la quête de beauté mène la femme par le bout du nez et par le bout du bistouri, et que ce qui se trouve au bout du scalpel n'est pas LA beauté, mais une représentation étriquée de celle-ci.

Avant de commencer ce livre, j'ai passé des heures à sillonner la Toile et à fureter dans Google pour me documenter et confronter mes idées. J'écrivais «*femmes de 50 ans et plus +*

beauté » ou « *femmes vieillissantes + beauté* ». Résultats : des centaines de milliers de pages sur des produits cosmétiques et rajeunissants ou sur des offres de chirurgies esthétiques. À peu près rien d'autre. Peu ou prou de résultats de recherches, d'articles, de sondages concernant le rapport des plus-que-quinquas à la beauté ou sur la peur de la perdre en vieillissant. Je ne m'attendais pas, comme je l'ai dit à l'époque sur mon blogue[7], à y trouver des confidences ou des propos de femmes dissertant sur leurs perceptions de leur corps et de la beauté en prenant de l'âge. J'espérais simplement y repérer quelques études ou recherches sérieuses à cet égard. Sur le Web, ce scan de notre univers, les femmes vieillissantes existent, soit comme objet un peu sordide et dépravé de consommation sexuelle, soit comme sujet névrosé, avide de consommer les produits et services cosmétiques et chirurgicaux promettant de les garder consommables. Parmi les innombrables tests et sondages réalisés par les magazines féminins, en Europe comme en Amérique, c'est un tour de force de dénicher la moindre référence aux femmes vintage. Dans ces revues, où les directions sont souvent féminines, on croirait que les femmes de 50, 60, 70 ans et + n'existent pas, sont des extraterrestres ou ne savent plus lire. Du côté du Net, on les cantonne dans le casier de la « vieille *porn* finie » ou « en voie de transformation extrême » pour attraper un mec. On ne s'y retrouve pas, mais on fait semblant de se sentir concernée, et forcément on tripatouille sa date de naissance. Cela, malgré la force de notre nombre, malgré notre pouvoir économique et malgré notre vitalité.

Les plus-que-quinquas pas toutes refaites existent pourtant. Où sont les Isabelle Huppert (55 ans), Meryl Streep (61), Céline Galipeau (53), Andrée Lachapelle (78), Helen Mirren (65), Claire Chazal (53), Christiane Charette (58), Sylvie Léonard (55), Nathalie Gascon (55), Natalie Baye (62), Annie Duperey (62), Macha Méril (69), Jane Birkin (64), Brenda Milner (91), Susan Sarandon (63), Nathalie Petrowski (56), Nancy Huston (57) ? Soit dit en passant, on observe que plusieurs de ces beautés millésimées ont des amoureux plus jeunes qu'elles. Fréquenter les jeunes vous garde jeune, dit-on. Peut-être que de les fréquenter bibliquement vous garde plus jeune encore. Il ne faut pas croire ici que je fais une concession au jeunisme. J'observe seulement qu'il n'y a que des bénéfices à ce que des personnes d'âges variés se regroupent, en couple ou en groupe. Un partage d'idées entre personnes venant de milieux, de cultures et d'horizons divers est bien plus riche, stimulant et fécond malgré les embûches. Pourquoi cela ne vaudrait-il pas pour des personnes venant de décennies différentes ?

Des monstres de beauté

Tout près des femmes au visage toutankhamonesque qui plastronnaient au théâtre, se tenaient des hommes, leurs hommes, probablement du même âge qu'elles, vachement séduisants. Est-ce le fait de jouxter l'épouvante qui les rendait si attirants ? Je ne crois pas qu'il n'en tenait qu'à l'overdose de beauté-toc de leurs compagnes, non plus qu'aux flagrants contrastes entre eux et elles. Ils étaient cuivrés, patinés comme du cuir souple et frémissant, leurs lèvres vivaient et bougeaient, leurs paupières clignaient, leur bouche s'ouvrait pour sourire, s'élargissait pleinement pour rire sans retenue, sans peur de se fissurer, leur front était mobile, leur regard bien allumé, touchant et invitant comme un baiser interdit… Ils étaient dé-si-ra-bles. Et c'est bien là le drame : c'est pour le rester, désirables, que ces femmes se sont ainsi fait transformer en statues de plâtre.

La vue de ce regroupement d'avatars m'a tant médusée que les bras et les seins m'en sont tombés. Hélas ! Si mes bras se sont relevés courageusement depuis, mes seins sont restés un peu plus effondrés ! Malgré cette attraction terrestre de mes deux, ils sont si émouvants que je me suis promis de ne jamais ressembler à ces dames de marbre. J'avais alors 55 ans et Micheline Charest, richissime femme d'affaires québécoise, venait de mourir sur la table de transformation extrême à l'âge de 51 ans. Elle s'était arrêtée à la pompe d'une célèbre station-service esthétique : « Le plein de super-jeunesse-beauté au visage et aux seins et, tant qu'à y être, une vidange des gras à l'abdomen ! » Cette tragédie, suivie de près par le spectacle apocalyptique qui m'a été offert dans la vallée des reines au théâtre, a décuplé ma commotion. J'ai souvent pensé à Micheline Charest, que je n'affectionnais pas particulièrement, en lui souhaitant au moins d'être partie au milieu d'un beau rêve…

Comment peut-on avoir la naïveté de croire que la tentative de reproduire les traits de jeunesse et de beauté puisse engendrer autre chose qu'une contrefaçon ? S'acharner à fabriquer une moue de fillette sur un canevas traversé d'années, c'est comme tenter de recréer les jardins de Giverny avec de la peinture à numéros. D'ailleurs, c'est toujours le même prototype esthétique que l'on calque : blonde, blanche, hypersexuelle. On parle maintenant, dans le commerce de la beauté, d'une esthétique Madonna. De plus, qu'est-ce que cette manie de vouloir fixer l'heure du visage à potron-minet ? Une frimousse juvénile, toute pimpante de fraîcheur, c'est splendide, bouleversant, stimulant et aveuglant comme un lever de soleil. Pourquoi le minois d'une femme bien mûre ne serait-il pas beau à sa manière ? Émouvant et incandescent comme un coucher de soleil.

Tout s'acharne à nous faire croire qu'on ne peut plus être belle à partir d'un certain âge. Des jeunes femmes se demandent si elles survivront à la trentaine. D'autres projettent de s'allonger sur le billard chirurgical pour la totale à 40 ans. D'autres encore pensent que le clignotant de la ménopause signe la fin du pouvoir de séduction. Pourtant… Les beautés d'origine fourmillent autour de moi. À 73 ans, mon amie Ghis est splendide, vaporeuse et plus voluptueuse qu'elle ne l'était à 50 ans. Et Andrée maintenant qui, à 65 ans, distille un *sex-appeal* à faire damner un moine. Que dire d'Hélène qui, à 67 piges, en fait 55 avec l'énergie d'une quadra ? De Danièle, cette bombe sexuelle de 52 ans ? De Claudine qui, à 55 ans, est plus en possession de ses moyens et de son pouvoir d'attraction qu'elle ne l'a jamais été ?

Les choses changent. À pas de tortue. L'an dernier, le prestigieux magazine *Vogue*[8] consacrait tout un numéro aux « beautés fatales de 10 à 60 ans », signe d'un certain progrès, puisque la barre aurait sans doute été fixée à 50 ans il y a une dizaine d'années et probablement à 40 il y a 25 ans. Cela dit, en clôturant l'éligibilité à la beauté à 60 ans, on affirme en silence que des centaines de millions de femmes sur la planète ne sont pas même autorisées à s'en approcher. Aux plus « grands spécialistes de la beauté féminine[9] », on a posé cette question : quels sont les soins les mieux ajustés à une peau optimale selon les décennies ? Aucun n'a prodigué le moindre conseil aux 50 et + ! Alors, à 51 ans, on fait quoi, mes cocos ? On coule à pic dans la mocheté ? On se laisse aller comme des poufiasses ? Moi qui avais payé 10 euros pour savoir quoi faire de ma peau de jeune sexagénaire, eh bien, niet ! Je suis restée sur ma faim, comme une femme excitée, plombée au bord de l'orgasme. Pour comble, un article vantait plus loin les vertus intemporelles de la beauté : « À chaque décennie son aura ! » Jusqu'à la cinquantaine, aurait-on dû préciser, puisque rien n'était proposé aux suivantes, qui n'en valent pas la peine. Puis, ô surprise, on nous rappelle, en conclusion de reportage, que les 60 et + existent aussi. Ho ! Ouf ! Tiens donc !... Et que ce qui caractérise cette décennie et les suivantes, c'est, fallait y penser, l'aventure spirituelle !!! Tabarnak !* Je doute fort, moi, que Julie Christie, sélectionnée aux Oscars à 67 ans, que Lauren Hutton, qui a posé nue en couverture de *Big Magazine* à 65 ans, que Tina Turner, cette rugissante septuagénaire, que Raquel Welch, bouffeuse de pizzas et de yoga de 69 ans, qu'Inès de la Fressange, Micheline Lanctôt, Dominique Michel, Marine Le Pen, Denise Filiatrault, Louise Forestier, Louise Beaudoin, Dominique Voynet, Ginette Reno, Martine Aubry, France Castel, Denise Bombardier, Marjo, Pauline Marois, Benoîte Groult, Janette Bertrand, Simone Veil, Lise Payette, Liza Frulla, etc., toutes ces pétulantes quinquas, sexas, septuas et octogénaires se distinguent surtout par leur vie spirituelle !!!

* Juron québécois sans véritable équivalent en franco-français. Ça sonne comme un mot amérindien, mais ça n'en est pas un... Plutôt quelque chose comme « putain de bordel de merde! ».

La beauté revisitée

Je ne vous ferai pas le coup de la beauté intérieure. Nous vivons dans un monde matériel et incarné, et de surcroît dans des univers qui vouent un véritable culte à la beauté du corps, à la performance du cul, au pouvoir du *cash* avec lequel on revient à la case départ en achetant le corps et le cul... Je ne la jouerai donc pas « morale gnangnan ». J'ai toujours été sensible à la beauté et je le suis encore. À toutes les beautés, incluant celle des corps et des visages.

Moi, je le dis sans fausse modestie, j'ai été une belle femme. Pourquoi ne le serais-je plus ? Pourquoi ne serais-je pas, jusqu'à la fin, belle d'un panache et d'une féminité qui ne soient en rien comparables à celles de la jeune poulette ? Qui a décrété que la beauté était réservée aux jeunes ? Pourquoi à l'égard de l'espèce humaine, surtout de genre féminin, réserve-t-on un traitement si sectaire ? Pourquoi cet embrigadement dans des standards aussi rigides qu'étroits ? J'en ai marre, moi, d'entendre tout un chacun se pâmer sur les maisons ancestrales, les arbres centenaires, les maroquineries burinées d'histoire, les meubles antiques, sur ce vieux pic flamboyant qui revient manger du beurre d'arachide depuis au moins 10 ans sur ma terrasse. Peut-on m'expliquer pourquoi mon chien Virgule, un grand bouvier des Flandres âgé de 12 ans, soit environ 90 ans d'usure humaine, suscite-t-il d'interminables débordements admiratifs chaque fois qu'il m'emmène faire la promenade ? « Quelle merveilleuse bête ! Oh là là ! quelle élégance et quelle fierté ! Qu'il est beau... ! » ne cesse-t-on de s'exclamer et de s'ébaubir en le cajolant affectueusement.

Et moi ??? Mon corps à moi qui n'a même pas l'équivalent de huit ans de la vie de mon chien... ? Et mon burinage corporel personnel ? Et la ribambelle de mes bucoliques paysages émotionnels ? Quelqu'un d'autre que Dimitri, sans doute un peu cinglé, pourrait-il s'en délecter ?

Tous les objets et sujets de nature et de culture ne sont pas dépouillés de leur splendeur parce qu'ils ne sont plus de prime jeunesse. Nous sommes autant envoûtés par les vieux pays que par les jeunes continents, par les habitations historiques aussi bien que par les architectures modernes. Les arbres séculaires ne nous charment-ils pas autant que les jeunes pousses ? Le bagage patiné autant que le sac tendance ? Et le chef-d'œuvre d'une autre époque n'est-il pas aussi émouvant que la composition mixte média contemporaine ? Les êtres humains entre eux ont parfois des attitudes bien bizarres...

Qui a statué que la beauté humaine devait être statique ? Unique ? Uniforme ? Ne saurait-elle être mouvante, changeante, plurielle, multiple, marginale ? N'est-ce pas toujours l'authenticité et l'originalité qui nous séduisent profondément ? Nous l'avons dit, un sondage Dove a montré que 97 % des femmes de 50 à 64 ans ne se sentent pas acceptées, côté apparence, par la société. Certes, l'entreprise mène son enquête et nous révèle ces résultats pour vendre ses marques. Mais, quand même, ses produits sont abordables et Dove invite les femmes à s'aimer. C'est déjà ça, quand on sait que la plupart des marchands de cosmétiques profitent du désir effréné des femmes de rester jeunes et belles, désir qu'ils créent puis alimentent eux-mêmes, pour leur vendre ensuite à des prix exorbitants des petits pots de crème reconnus inefficaces[10]. Les diktats sociaux et les stéréotypes culturels de beauté nous atteignent si fortement que, une fois qu'on les a gobés et déglutis, on finit par les véhiculer, les promouvoir, les tenir pour acquis et les croire incontournables et infaillibles. Il est loin d'être aisé de porter un regard critique sur une mise en discours doublée d'une mise en marché qu'on a littéralement assimilées, puis métabolisées.

J'ai été une pathétique victime de cette doctrine tortionnaire. Depuis la mi-cinquantaine, je m'évitais dans la glace. Et quand, par mégarde, je m'y surprenais, je me demandais qui était cette intruse. Fallait-il que j'aie un corps étranger dans l'œil pour me voir comme une poufiasse étrangère, pour houspiller et vouloir chasser ce corps étranger de ma maison... J'ai été déroutée au point d'avoir grand mal à me remettre sur les rails. Pendant quelques années, tout en moi était trop, en trop… Trop de changements soudains dans mon corps, dans mes états d'âme et de chair, des changements qui, avais-je cru, viendraient chez les autres mais jamais chez moi. À l'ère des poupées gonflables, voilà que moi, Gwendoline Dubois, ex-pétard parmi les pétards, je n'explosais plus de mille feux. Je dégonflais de partout où il sied d'être ballonnée : les nichons, les fesses, les lèvres du visage et celles de ma binette plus intime. Je bouffissais de partout où il convient de s'affiner : les hanches, les jambes, les chevilles, la taille… J'avais toujours été gonflée à bloc, de projets, d'idéaux, de désirs, et je me retrouvais à plat. Je ne parlais plus que de ma déchéance, exaspérant mon fiancé et mes proches. J'ai été lente à laisser filer ma beauté-cliché. À accepter de m'en départir. À accueillir une autre maquette esthétique. C'est drôle, plus la beauté stéréotypée me délaisse, plus je suis sensible à la beauté multiple et plus j'ai besoin d'en créer autour de moi. J'ai l'impression qu'à son tour, le beau, distillé ici et là, rebondit vers moi dans un effet de boomerang, se réfléchit à travers moi, m'enlumine. Si l'éclat des choses se répercute en nous, imaginez à quel point peut agir la beauté des êtres ! Mon corps d'aujourd'hui est imparfait. Mais il a du panache. C'est un corps panaché. À mon dernier cours de qi-gong, ma jeune amie (le seul plan sur lequel nous avons un grand écart est celui des années) s'exclama en me voyant : « Wow ! T'es vraiment superbe avec ce bonnet ! » Moi, je savais que ma capuche n'y était pour rien, que c'était le bonheur qui encadrait mon visage. Là, en ce moment précis, j'aligne ces mots dans un petit carnet bleu avec mon Mozart. Ça n'est pas par snobisme que j'écris avec un mini Montblanc. C'est pour la joliesse de l'objet, sa sensualité, le plaisir que cela me procure. Autour de moi, ça pioche sur des BlackBerry, iPhone ou MacBook. J'aime ces sons. J'aime les petits objets qui, au-delà de leur utilité, sont beaux aux yeux de leur propriétaire. J'ai toujours aimé que les objets soient beaux. Surtout les petits objets, ceux qui nous suivent, qui sont des repères dans notre quotidien : une plume, une barrette à cheveux, un porte-clés, un sac, un agenda, un étui à lunettes... Abandonnés sur un vieux meuble ou traînant dans un appartement zen, ils se mettent à vivre intensément, à remplir les lieux de leur petitude. J'ai été lente à voir les multiples facettes de la beauté. De peine et de misère, j'ai fini par comprendre toute la saveur de l'adjectif blette. *Et par admettre, amusée, que je méritais enfin cette appellation dont m'affublait affectueusement mon père lorsque j'avais six ou sept ans et que j'étais plus belle que le jour et plus fraîche que la rosée du matin. Ouais... Comment m'interpellerait Norbert aujourd'hui, s'il était de ce monde et qu'il me voyait ? Avec le temps, j'ai compris que les hommes et les femmes ne sont jamais aussi beaux que dans le dépassement et la passion. Ou lorsqu'ils sont amoureux. Mais qu'est-ce que je dis là... Dépassement, amour... Amour, dépassement... C'est du pareil au même.*

Beautés plurielles et miroirs déformants

Une chose est indéniable : Chronos est un ogre qui bouffe notre jeunesse. Ses agents s'insinuent visiblement dans la peau et invisiblement dans toutes nos cellules. Ils s'y installent à demeure. Nous squattent. Ils ont signé avec une instance suprême un bail emphytéotique sur lequel nous n'avons nul droit de regard. Mais c'est dans nos têtes que ses exécutants font le plus de ravages, du moins sur le plan métaphorique, compte tenu que nous les hébergeons contre notre gré. Inconscientes des griffures du temps jusqu'à ce qu'elles patrouillent notre épiderme, nous avons tendance à oublier que vieillir commence dès la naissance. Le passage du temps nous donne pourtant de la saveur, du bagout et du style. On se rue sur les « marques », ces fringues et objets signés ; rarement sur les corps griffés. Ne nous inquiétons pas, la ruée sur les femmes vintage n'est pas pour demain. Mais elle viendra.

Est-ce une consolation de savoir qu'on s'habitue à la beauté ? Parfois jusqu'à finir par la trouver insignifiante. Et même anérotique. On se fait aussi à la laideur, au point où on finit par la trouver amène. Et même attirante. À la laideur abyssale de l'âme, je ne suis pas certaine que l'on s'habitue. Si l'on convient que la beauté est un fait de culture, convenons qu'on pourrait, si on le voulait, élargir la palette, inventer d'autres formes et d'autres types de beautés. Et puis, ne sont-ce pas souvent les femmes elles-mêmes qui se jugent vilaines dès qu'un petit bout de leur moi corporel ne satisfait pas au traditionnel standard? Sitôt que leur corps n'est plus *pornographiable*?

Mon amie Françoise, à 45 ans, était l'amoureuse de mon ami Jean. Jean aimait le corps de Françoise, il trouvait sensuelles et émouvantes ses vergetures, petits fils blancs tissant une histoire qui l'avait précédé, lui, et que la chair de sa douce lui révélait. Il m'en avait parlé, troublé de désir d'elle et de sa chair vivante et authentique. «Son corps est comme un livre de la Pléiade... Je n'aurai pas assez de temps pour explorer tout ce qu'il me révèle jour après jour...» Un soir que Françoise me confiait la honte et la souffrance qu'elle éprouvait d'être ainsi dermographiée et qu'elle projetait une chirurgie pour gommer ce parchemin charnel, je lui révélai les confidences de Jean. Elle eut peine à me croire, se cabra, crut un moment que je me moquais d'elle ou que lui s'était moqué. C'est souvent difficile de croire qu'on est aimée pour tout ce que l'on est, tout ce que l'on a été.

Cela me fait penser à Dimitri. Quand il veut me faire rire, il lit en braille, à haute voix, en palpant ma peau du bout de ses doigts. Il dit qu'il aime que je lui donne mon corps à lire. «À quel chapitre en étions-nous?» chuchote-t-il en glissant le coussinet de son index le long d'une fine cicatrice. «J'y suis, il était donc une fois...»

Je me souviens aussi de ma jeune collaboratrice, fin vingtaine, me confiant son désespoir: ses petites lèvres génitales pendouillaient à l'extérieur des grandes. Cela la complexait au point d'avoir consulté un chirurgien pour une éventuelle nymphoplastie, une chirurgie reconstructive de la vulve. Elle ramassait ses sous en vue de l'opération, lorsqu'elle tomba follement amoureuse. Et voilà que le bien-aimé, aussi épris d'elle qu'elle de lui, entrait en transe à la seule évocation de ses petits pendentifs de chair rosâtre qui passait au rouge pivoine lorsqu'elle était sexuellement excitée. Elle utilisa finalement ses économies pour s'offrir des pendants d'oreilles en albâtre rose, montés sur or, symboles d'une partie d'elle-même qu'elle avait bien failli sacrifier sur l'autel de la conformité, et devenus l'emblème du puissant lien érotique et amoureux entre elle et son chéri. Elle ne l'a jamais regretté. Lui non plus. Dix ans plus tard, «je n'ai qu'à porter ces boucles d'oreilles pour qu'il se mette à fantasmer», dit-elle. Le seul perdant fut le chirurgien qui avait accepté de faire cette mutilation génitale, aussi risquée que vaine.

J'ai moi-même été un bien piètre juge de ce qui chez moi plaisait. Probablement parce qu'on s'est beaucoup extasié quand j'étais enfant sur mon regard turquoise, je me suis persuadée que la plus séduisante part de moi était mes yeux. Jusqu'à ce qu'un amant me détrompe en me déclarant un jour, avec une élégance de tête à claques: «Tes yeux ne me font pas capoter. Mais tes nichons, wow! Qu'est-ce qu'ils sont craquants!» J'étais restée interloquée, sceptique. En tout cas, encore aujourd'hui, intacts et originaux, ils occupent la place qui leur revient. Ils ne sont pas vraiment tombants, même s'ils ne pigeonnent plus depuis quelques lunes. Ils vibrent, s'émeuvent, ont du répondant. Ils ne demandent qu'à vivre, ces chéris. Et c'est dans cette énergie folichonne et impertinente que réside leur secrète magnificence. Leurs pointes sont moins exhibitionnistes qu'elles l'ont été. Elles ont de la réserve et elles se réservent… J'ai toujours jugé mes seins OK, sans plus: ni gros ni petits, ni transcendants ni insignifiants. Par contre, sur le plan de la volupté, c'est une autre histoire: ce sont des tremplins érotiques d'une efficacité étourdissante. Pour cela, j'ai beaucoup permis qu'on les touche, jamais qu'on les retouche. Encore aujourd'hui, je les trouve bien à leur affaire, avec leur demi-siècle de maturité et leur mine coquine.

Les amants ont tout intérêt à se confier ce qui les séduit, ce qui les excite et les enivre dans le corps de l'autre. *A fortiori* si cette zone corporelle risque d'être classée par son porteur dans le tiroir des laideurs à camoufler et à faire disparaître. On n'a jamais, face à soi-même, la bonne distance pour départager les aspects de soi qui sont les plus envoûtants. La glace dans laquelle se mirent les femmes est presque toujours déformante. Il existe tout un éventail de corps, chacun avec son potentiel de séduction, mais il existe aussi une personnalité affective et érotique unique à chaque personne, et une propension personnelle à se sous-estimer ou, plus rarement, à magnifier son nombril.

Que dire de mon cher ami Bernard? Aussi loin qu'il se souvienne, il avait craqué pour les seins lourds et tombants. Des seins en poires ne manquent jamais de l'enthousiasmer. «Surtout lorsqu'il y a une femme derrière», précise-t-il. Quand je lui demandai d'expliquer ce penchant érotique, il commença par dire qu'il n'en savait rien et que cela avait toujours été ainsi. Puis, à force, une scène émergea du puits de ses souvenirs. Vers 9 ou 10 ans, il passait les vacances d'été chez ses grands-parents dans la campagne lointaine. Un après-midi, il rentra en trombe, sans crier gare, et surprit mère-grand faisant sa toilette dans un bac, son chemisier descendu à la taille. «Je ne vis que des seins… Elle était toute en ses seins, des seins lourds et satinés, agités et savonneux, avec des aréoles grandes comme des soucoupes volantes.» Ébloui, il cessa de bouger, de respirer, la contemplant, le temps qu'elle couvre sa poitrine. «Ce fut une apparition divine se déroulant au ralenti, décrit-il, un spectacle saisissant de beauté.» Spectacle qui remonta à la surface de sa mémoire autour de ses 40 ans, alors qu'il fouillait dans son coffre à fantasmes avec une amie. Il se rappela sa puberté… Son imaginaire érotique était peuplé de femmes aux seins oblongs. Il éprouva ses premiers émois sexuels, ses premiers orgasmes éjaculatoires en évoquant semblable poitrine féminine. Mais ne nous méprenons pas : il ne fantasmait pas sur sa grand-mère et n'était pas atteint de gérontophilie. L'anatomie de cette femme dans la cinquantaine, son grain de peau et sa sensualité laiteuse allaient désormais constituer un détonateur d'excitation et profiler sa personnalité érotique.

Si on ne se faisait pas enfoncer dans le crâne que la beauté suit un modèle unique, on saurait d'emblée qu'elle est plurielle. Baudelaire disait de Sarah dite la Louchette, sa première maîtresse, qu'il l'aimait parce qu'elle était laide... En louangeant ainsi un défaut, habituellement décrié par tous, il faisait ce qu'on appelle l'éloge paradoxal de son amante. Reste à savoir si la Louchette appréciait que son galant célèbre ainsi sa disgrâce... Quoi qu'il en soit, l'éloge, en plus d'être paradoxal, aurait pu être réciproque, puisque Baudelaire était, me semble-t-il, assez mal nanti sur le plan du *sex-appeal*. Mais, bon. Il est notoire que le génie des hommes émoustille les femmes et que les codes inconscients de la séduction[II] fourmillent de mystères...

À l'instar de l'érotisme, la beauté est mouvante, évolutive, changeante, et les blondes Californiennes siliconées n'ont pas le monopole exclusif du charme et de la séduction érotique. Et puis, en y pensant bien, si la tendance se maintient et qu'un nombre croissant de femmes imitent ces bimbos, les autres qui ne sont pas dans le rang, celles que l'on classe hors norme, finiront par devenir des perles rares, uniques, recherchées. Les normes d'hier ne sont pas celles d'aujourd'hui et rien ne dit que celles qui ont cours aujourd'hui seront celles de demain. Espérons.

L'uniforme corporel nivelle la beauté

Pour le moment, nous sommes asservies à des exigences socioculturelles de beauté. C'est le règne de la *féminomanie* : bouche repulpée et lèvres ourlées jusque sous les naseaux, front lissé, pommettes haut perchées, chevelure méchée, nichons grosses pommes 36 D, cul bien bombé sur bassin étroit, cuisses fuselées, taille de guêpe, ongles d'acrylique, anus blanchi, vulve glabre, tunnel mirifique serré, clito au garde-à-vous... Voilà le corps visé, le corps rêvé, le corps irréel, irréaliste et emblématique.

Un corps si dépersonnalisé qu'on se demande parfois s'il y a quelqu'un à l'intérieur... Une chose qu'on tripote et triture, qu'on offre en pâture, qu'on dissèque, autopsie, sculpte, rénove, décolore ou colore, qu'on passe au laser ou qu'on épile, qu'on prive de nourriture ou qu'on fait vomir, qu'on gave de substances amaigrissantes ou « musclantes ». Un corps qu'on fait bien suer ! On le met à sa main. Ou plutôt à la main de la gouvernance esthétique. Portées par une illusion de pouvoir, on se soumet. On se scandalise ensuite que nos ados se tatouent, se scarifient, se fassent du *cutting*. Est-il vraiment plus beau et séduisant, en bout de ligne, ce corps ? Nous rend-il plus heureuses ? Vous pensez que j'exagère ? Faites l'exercice suivant. Rendez-vous dans des maisons pour personnes âgées nanties ou dans n'importe quel lieu où elles se regroupent et amusez-vous à dépister celles que vous trouvez séduisantes. Vérifiez ensuite si ces personnes se sont soumises au bistouri enjoliveur et rajeunissant. Je suis prête à parier que celles que vous jugerez les plus belles ne seront pas celles qui ont été les plus rénovées.

Nous avons tendance à l'oublier : non seulement nous avons un corps, mais nous sommes ce corps. Quel sentiment identificatoire peut nous inspirer un corps qui n'a plus rien à voir avec le moi d'origine ? Pour être affiliée aux femmes vintage, il y a un préalable : accepter son corps. Mieux vaut tard que jamais, dit l'adage. Cela vaut pour l'acceptation de son corps, qui peut venir en cours de route, tardivement. Ça n'est certes pas en fuyant toujours dans toutes les directions, comme une poule pas de tête, en quête d'une anatomie chimérique, qu'on y arrive. L'estime de soi dont on parle tant et dont le déficit entraîne une kyrielle de difficultés et de souffrances ne peut se développer et se consolider sans l'acceptation de ce moi corporel. L'anatomie, le corps, la perception de soi sont des organisations complexes. Certaines zones cérébrales, en particulier l'amygdale et l'hippocampe, sont cruciales quant à la perception de soi et à l'encodage des souvenirs. Grâce à ces petites structures, notre passé et notre histoire sont cryptés un peu partout dans notre corps, dans toutes nos cellules, y compris celles de la peau. Nous sommes cette peau qui nous enveloppe.

Plus le corps a vécu, plus il a à dire, à livrer, à partager. Plus il s'émeut d'être accueilli. Repoussé, il se ferme, se tait, se sclérose. Le corps jeune jacasse et s'excite. Il s'énerve et frétille de curiosité. Il rit fort, pour tout et pour rien. Le corps mûr babille moins. Il parle. Il écoute. Il sourit et rit quand il est en joie. À mesure qu'on vieillit, la beauté se marie au bonheur. Ils se fécondent mutuellement.

Fini les femmes aux mille visages ?

Nous assistons depuis quelques décennies à une modification normative des traits humains qui n'a pas son précédent historique. Sur toute la planète, on glisse vers l'uniformisation des corps et des visages féminins. Un nouveau visage « parfait » appelé le *new new face*, né des recherches des chirurgiens esthétiques, serait le symbole de l'idéal absolu. Le Dr Rosenberg[12] explique les subtilités de ces recherches scientifiques : angularité des différentes parties, architecture globale, teint, courbes des traits... Le visage devient un jeu de construction. Voilà que l'on sculpte dans la chair humaine comme on l'a fait dans la pierre du mont Rushmore où surgissent les visages de quatre présidents américains. On aurait taillé dans le visage de Madonna pour lui donner une forme idéale, celle d'un cœur.

Je regarde la photo de mariage de ma mère. 1934. Elle avait 25 ans et on disait qu'elle avait déjà coiffé sainte Catherine. C'était un grand mariage. Mon grand-père était un prospère éleveur bovin et il mariait sa première fille. Je suis fascinée par la grande diversité des visages et des silhouettes féminines. Elles sont éblouissantes, ces femmes : des cheveux de toutes les longueurs et de toutes les couleurs, tressés, relevés en chignons, bouclés... Des corps minces, potelés ou grandioses... Des teints, des dents, des fronts, des regards, des nez, des seins, des*

---

* Expression signifiant que la jeune femme qui n'était pas encore mariée à 25 ans risquait de rester « vieille fille ». On fête la Sainte-Catherine le 25 novembre.

ventres – tous fiers et si distincts les uns des autres. Chaque corps, chaque trait est unique, singulier. Tantôt par le petit nez, tantôt par les grands yeux océaniques, on reconnaît chez certains invités des airs de famille. C'est le cas des trois Grâces, la mariée et ses deux demoiselles d'honneur, ses sœurs. Mais aucune femme ne ressemble à une autre. Ma famille ayant des origines amérindiennes du côté maternel, le fusionnement avec les blonds aux yeux aqua de la lignée patrilinéaire a engendré une joyeuse diversité de phénotypes. Ce qui impressionne, sur ce cliché sépia, c'est que chaque femme affiche assurément beaucoup de fierté d'être ce qu'elle est et comme elle est.

Elle a bien raison, Gwendoline. Quand j'étais enfant, il existait toute une gamme de beautés. Il y avait la beauté des femmes asiatiques, celle des caucasiennes, des négroïdes ou des indiennes... Une panoplie d'yeux ronds ou bridés, noirs ou bleus... Un éventail de nez fins, épatés, retroussés ou aquilins... Une palette de couleurs et de textures de peaux, blanches, ébène, bises, rosées ou chocolatées... Un assortiment de cheveux châtains, roux, blonds ou noirs, crépus, bouclés ou droits... Cela me faisait rêver, exacerbait mon envie de découvrir le monde. Aujourd'hui, on tend vers un prototype unique, universel de beauté : la Barbie blanche, blonde, grande, fuselée, pulpeuse au nord et mince au sud, avec un visage en forme de cœur. Les Noires se font éclaircir la peau, défriser la crinière, affiner le nez, amincir les lèvres... Les Asiatiques se font débrider et agrandir les yeux, décolorer les cheveux, gonfler la poitrine. Certaines femmes sud-américaines, généralement assez courtes sur pattes, vont jusqu'à se faire rallonger les jambes. Les Blanches se font *barbiriser**, rehausser les pommettes, élargir les yeux, gonfler la lippe, bomber le cul. Ne parlons même pas des cheveux, à peu près tous dans des tons de blond, plus ou moins de la même longueur et méchés. Bientôt, toutes les femmes blanches se ressembleront entre elles et toutes les

* Se faire transformer pour ressembler à Barbie, la poupée de Mattel. Voir le chapitre 4 sur la *barbiemorphose*.

autres s'en approcheront, avec des allures faussement métissées. Je ne sais pas ce qu'on peut faire pour stopper cette folle chevauchée vers l'uniformisation. Mais, si rien ne freine cette dérive, nous filons vers un regrettable appauvrissement du visage humain, de la diversité humaine.

Avez-vous remarqué ces visages hollywoodiens et cannois à l'ovale parfait ? Ces vedettes aux bouches farcies qui font des moues de bébé avec leurs fronts sans faux plis ? Les actrices commencent à se ressembler toutes. Meryl Streep[13] n'y va pas par quatre chemins : « Quand je vois les actrices toutes pomponnées sur le tapis rouge, j'ai l'impression d'assister à un concours de beauté pour chiens. » On dit que les États-Unis, derrière le Brésil, ont de l'avance sur l'Europe à cet égard, mais force est de constater que la France et l'Italie suivent de près la fanfare. Que dire de ces actrices au visage astiqué, presque jumeau, à la cérémonie des Oscars ? Je me demande quel imbécile a réussi à nous faire croire que la beauté réside dans ces couennes lustrées... Et, quand j'entends les fans s'ébaubir devant telle vieille vedette médiatique toute rafistolée — « Qu'est-ce qu'elle est belle encore ! » —, je ne peux m'empêcher de penser qu'elle serait peut-être bien aussi belle et plus resplendissante si elle s'était moins souvent allongée sur le billard. Je crois profondément que ce sont l'énergie, la vitalité, le plaisir de vivre et de travailler qui illuminent ces femmes, bien plus que les transformations chirurgicales. Et puis, quelqu'un peut-il m'expliquer pourquoi les stars font des crises de nerfs lorsqu'une autre porte une robe identique à la leur lors d'un gala, alors qu'elles paradent avec des seins, des babines, des pommettes ou des fesses griffés du même chirurgien ?

Un visage à son image

C'est terrible de niveler le corps et le visage. Terrible de le « normaliser », observe le Pr Maurice Mimoun, chirurgien plasticien[14]. Il raconte qu'un jour il vit arriver à la cafétéria de l'hôpital une femme, l'air effondré. Six mois plus tôt, il avait opéré le nez de cette patiente : rhinoplastie parfaite, applaudie par le patron et très appréciée par elle. Or, elle venait lui demander de lui remettre son nez d'avant ! Son nouvel appendice, si joli et si délicat, n'avait rien à voir avec sa personnalité et avait ruiné son sentiment d'appartenance à sa fratrie. Elle ne supportait plus le mignon minois que lui renvoyait sa glace et voulait absolument retrouver sa gueule déterminée d'avant. Déconcerté, impuissant à lui recoller son nez d'origine, le talentueux spécialiste de l'anatomie dit avoir reçu ce jour-là une magistrale leçon : sur l'anatomie du désir d'abord, et sur le fait que la beauté consacrée ne consacre pas le bonheur. Cette femme avait cédé au désir passager d'avoir un petit nez de star et le regrettait. Dès lors, le Pr Mimoun et ses collègues se sont dit qu'il fallait aller bien plus loin, mieux comprendre les motivations profondes des patientes qui sollicitent une transformation esthétique, étudier davantage la nature et la consistance de leur désir, évaluer plus à fond la frénésie de concordance avec un type de beauté par rapport à une volonté enfouie de rester la même. Pour un professionnel comme Mimoun, combien y a-t-il de généralistes à peine formés, à peu près ignorants de la complexité psychologique humaine ? Combien de pseudo-spécialistes dont le signe astrologique est le signe de $ et dont le désir, on ne peut plus stable, est de s'enrichir ?

Quel étrange univers, saturé de paradoxes, d'ambivalence et de contradictions dans lequel nous évoluons et, parfois, régressons. Nous passons notre vie à vouloir nous distinguer, à glorifier notre unicité, à souhaiter nous démarquer et montrer notre originalité. On travaille fort pour arriver à s'affirmer. On y parvient laborieusement, à force de travail, à coups et à coûts de coachs de vie, de sessions de développement personnel, de *workshops* de croissance, de thérapies... Du même souffle, on bosse de façon effrénée pour être comme tout le monde : on veut des seins de concubine, des lèvres comme la copine, un cul comme la coquine, des yeux comme la divine... On flambe la moitié de son fric dans des thérapies à la mode, en quête de sa propre authenticité, et on dilapide l'autre moitié à tenter de se changer ou de se faire modifier au nom de la conformité ! Rien n'est plus anxiogène que ces sociétés ambivalentes remplies de doubles contraintes, de doubles messages, de doubles discours.

Eh bien, pour moi, je crois bien que ça y est. Ça ne s'est pas fait tout seul, mais là, j'y suis arrivée : je suis bien comme je suis. J'en aurai avalé des couleuvres avant de savourer mon caractère vintage, mais bon, à chacune son rythme, non ? Je crois même que mes rides éclairent mon visage. C'est ce que me chuchote mon miroir. Toutes les parties de mon corps sont les jalons de mon histoire et le support de mon identité. J'ai été tentée de me faire souffler les babines à l'hélium. Plus maintenant. Je n'ai qu'à m'imaginer avec une bouche de canard à la Meg Ryan ou à l'Emmanuelle Béart et je m'étouffe de rire. Au tournant de la cinquantaine, j'implorais mon miroir : « Miroir, ô miroir, dis-moi que je suis toujours belle ! » Terminée, cette supplique. J'ai admis que la beauté est éclectique et que j'en suis, que le « pas jeune » c'est beau aussi. Ma frimousse se chiffonne bien un peu en raison de la foultitude d'émotions, d'expériences, de joies et de chagrins qui l'ont animée. Quand je pense que j'ai dû payer pour faire marquer ma voiture afin qu'on soit moins tenté de me la voler. Pfft !... J'aime me raconter que mon visage est ainsi buriné pour décourager les détrousseurs et copieurs de tout acabit. Il est inimitable. Je suis inimitable. Finalement, je suis assez ravie de mon impayable face de femme vintage.

Des microsoleils de beauté

La beauté se dévoile à travers les émotions. Les neurones miroirs aident à comprendre pourquoi s'établit ou non une bonne communication. Personne n'a oublié l'ouragan Katrina en 2005[15]. Vous vous rappelez peut-être la visite de Laura Bush dans un refuge improvisé pour des familles de sinistrés. Dans un contexte vraiment abominable, empreint de désespoir et de dénuement total, arrive la *first lady*. Devant des femmes ravagées de douleur, des hommes désemparés, des enfants prostrés et une meute de journalistes, l'épouse présidentielle déclare à peu près ceci : « Je voudrais que les habitants de La Nouvelle-Orléans reçoivent toute ma compassion. Il n'y a pas de mots pour dire combien mon mari et moi sommes atterrés. Nous avons le cœur brisé. » Elle a raison de dire qu'« il n'y a pas de mots » car, dans certaines situations, les mots sont impuissants et c'est la compassion éprouvée et transmise qui réconforte. Or, ici, il n'y a hélas que des mots, des mots « impuissants » qui sont entendus, car l'émotion qu'éprouve sans doute Mme Bush ne passe pas. Son visage est si bien bourré de je ne sais quel produit, probablement multi-lifté, qu'aucun chagrin, aucune empathie n'y transpire. Son visage inerte retient ses émotions en captivité. Dissonance absolue entre le message verbal et l'expression glaciale. Les rides d'expression sont hors service et, même si le cœur saigne, on n'y voit que le masque de l'indifférence. J'aurais pu évoquer cette anecdote ailleurs dans ce livre. Elle serait appropriée au chapitre 4 sur la chirurgie esthétique, et aussi au chapitre 5 où la question des émotions est traitée en profondeur. J'ai fait le choix de l'aborder ici, parce que l'idée de beauté appelle d'emblée le miroir dans l'imaginaire collectif. Et notamment parce que j'estime qu'il n'y a ni beauté ni émerveillement possibles sans la capacité de s'émouvoir et de donner à l'autre son émotion à lire. Ce sont les émotions partagées, répercutées par le corps et le visage, qui imprègnent de la beauté, qui font sentir l'empathie, l'amour, le désir ou la solidarité de la personne qui est devant soi…

Dans cette foulée, laissez-moi vous raconter une expérience éloquente. Il y a quelques années, j'ai accordé une longue entrevue à LJ, à la télé française, sur la problématique des agressions sexuelles commises sur les enfants. Lui et moi nous étions longuement parlé au téléphone avant de nous rencontrer. Sa préoccupation et son intérêt pour mon travail et pour ma vision québécoise étaient palpables, et le contact fut extrêmement chaleureux. Pourtant, en regardant l'enregistrement de cet entretien, quelque chose cloche : je note que l'empathie que me témoignait le journaliste est totalement occultée de l'émission. On l'entend dans ses mots, on la perçoit un peu dans le ton et les inflexions de sa voix, mais on ne la sent pas. C'est plus tard que j'ai compris pourquoi. JL a un parfait visage de marbre. Peau tirée au max, yeux déridés deux fois plutôt qu'une, lèvres collagènées. Une bobine de cire si confondante qu'un peu plus et l'on chercherait la mèche parmi ses épis implantés. Tout au long de l'échange, le cadrage nous montre en plan rapproché, empêchant de voir jouer la totalité du langage corporel. On voit donc, à tour de rôle, ma tête, puis la sienne. Quand on sait que, dans la communication, 7% passe par les mots, 38% par le ton, le timbre et l'intonation, et 55% par les messages non verbaux[16] du visage et du corps, on peut dire que notre communication a été efficace à 45%. Le cadrage faisait en sorte que le journaliste ne bénéficiait que de son visage et de ses épaules pour être avec moi, mais avec sa bouche empotée, son front paralysé, ses yeux tractés, les commandes envoyées par les neurones miroirs aux muscles créateurs d'empathie sont restées inefficaces...

Les neurones miroirs ont été découverts par hasard en Italie[17] au cours des années 1990. On s'est aperçu que, lorsqu'on fait un geste, certains neurones du cerveau s'illuminent, et que les mêmes neurones dans le cerveau de l'interlocuteur s'allument aussi, y reproduisant la même émotion. Tout se passe parfaitement inconsciemment, sans que personne n'actionne de commutateur. Ainsi se manifeste l'empathie. Si je vois une personne pleurer ou sourire, mon visage s'attriste ou se réjouit à son tour, parce que dans mon cerveau des lumières se sont allumées, commandant et l'émotion et le mimétisme. La reproduction de l'émotion de l'autre est un peu plus pâle que l'originale, mais elle est là et c'est ce qui permet au premier ému de sentir que l'autre est avec lui, dans son émotion. Cela se passe ainsi, de manière subliminale, pour toute la gamme des émotions.

Quiconque a déjà fait manger un bébé a observé qu'on ouvre la bouche en lui tendant la cuillère. Or, cette ouverture buccale se fait inconsciemment. Comme si on savait d'instinct que, en ouvrant la bouche, les neurones miroirs dans la caboche de bébé s'éclaireraient et impulseraient l'ouverture de sa bouche pour recevoir la nourriture. La transmission neuronale inverse est possible aussi : bébé ouvre la bouche et les neurones miroirs de la personne nourricière s'allument et lui font ouvrir la sienne. Dans la même veine, des chercheurs ont fait une expérience toute simple. Au milieu d'un groupe d'enfants, ils ont demandé à un brave de mordre dans un citron et aux copains de l'observer. Dès que l'enfant s'est mis à grimacer, à gigoter et à se contorsionner en raison du goût acidulé, tous les enfants ont plus ou moins reproduit ses émotions de malaise et de déplaisir. L'enfant au citron savait ainsi que ses camarades étaient solidaires et le comprenaient. La magie de l'empathie venait d'opérer. On émet de plus en plus l'hypothèse que des neurones miroirs dysfonctionnels auraient à voir avec l'autisme.

Que vient faire cet aparté sur les neurones miroirs dans un propos sur la beauté ? La beauté réside d'abord et avant tout dans l'émotion, dans la valse des émotions circulant d'une personne à l'autre, les ébranlant. C'est quand on est ébranlé qu'on est le plus proche de la vie. L'obsession de beauté standardisée et la peur de la perdre nous conduisent souvent chez le sorcier au scalpel ou chez le magicien à la seringue. Or, bistouris et infiltrations faussent, parfois irrémédiablement, le fonctionnement de ces cellules de lumière.

Je sais que de nombreuses lectrices râlent en me lisant et déplorent que mon propos conceptuel, avec lequel elles sont probablement d'accord, ne leur fasse ni la jambe ni la vie plus belles ! Elles voudraient comprendre pourquoi des hommes moches et intelligents, ou moches et riches, ou vieux, moches et riches parviennent à s'offrir de plantureuses jeunes nanas, alors que des femmes moches et intelligentes, ou moches et riches, ou, pire encore, belles et au-delà de 45 ans font tapisserie sur la piste de danse de la vie. Je suis sans réelle réponse…

Eh bien moi, j'ai ma petite idée là-dessus. Nous sommes tous et toutes responsables qu'il en soit ainsi. Moi la première. Par la manière dont j'ai élevé ma fille et le garçon que je n'ai jamais eu ; par le traitement différent que je réserve trop souvent à chaque sexe ; par mon immobilisme et par le peu d'efforts que je déploie pour déboulonner les mythes ; par mon conformisme ; par mon manque de solidarité ; parce que je chie dans mon string (à côté de mon string, devrais-je dire…) à l'idée de devenir active dans les changements souhaités. Personne n'a rien, loin de là, contre les belles jeunes femmes. Moi, leur vue me ravit. C'est contre les impératifs de la beauté uniformisée, contre les poncifs, banalités et lieux communs que j'en ai. J'ai bien connu le règne du «Sois belle et tais-toi». Me voici tyrannisée par celui du «Sois belle et jeune, ou crève!».

Le problème avec la beauté, c'est qu'une fois qu'elle s'est un peu défraîchie, elle ne nous sert plus de laissez-passer ou de marque de commerce. Pas facile quand on a mis tous nos gages dans ce volatil portefeuille! De surcroît, avec le deuil de la beauté standardisée et socialement approuvée, nous sommes renvoyées à nous-mêmes. Je crois que, chez les femmes plus particulièrement, la perte, visible, de la jeunesse, fait prendre conscience du tic tac de l'horloge, de la précarité de la santé qui, elle aussi, risque bien de s'étioler, et de l'urgence de vivre... C'est l'éclat de la jeunesse qui donnait la sensation d'invulnérabilité. En pâlissant, jeunesse et beauté n'aveuglent plus les fantômes de la peur, qui en profitent pour nous visiter, parfois pour s'installer.

Deuxième résolution

Si la beauté est partiellement tributaire de l'œil de la personne qui regarde, on peut affirmer que sa définition et sa perception reposent sur des critères normatifs et culturels. On nous matraque de règles de beauté qui ont tôt fait de nous apparaître comme des vérités absolues que nous nous sentons forcées d'imiter et de parodier. Voilà des chaînes brimant notre liberté, travestissant notre magnificence personnelle. Transgresser ces diktats, s'en distinguer et s'en dissocier sera, je le pense, de moins en moins passible de rejet, d'exclusion, d'ostracisme, comme cela le fut. Si cela a pu nous valoir d'être épinglées au tableau de l'obscénité, cela nous méritera bientôt d'être intronisées au temple des êtres rares et d'exception.

* * *

Lorsque je me trouverai particulièrement en beauté ou en disgrâce, je porterai attention à mes états d'âme — joie, espoir et satisfaction ou tristesse, désespoir et frustration — ainsi qu'aux énergies qui m'animent — sentiment de pouvoir sur les choses, d'aimer et d'être aimée, créativité, aptitudes à devenir active dans les changements souhaités... Et quand je jugerai une femme résolument belle, je chercherai à savoir si c'est son nouveau look ou les transformations esthétiques subies qui la font si magnifique. Ou si cela ne pourrait pas être sa foi en elle, sa dignité retrouvée, son redoutable appétit de vivre et d'agir, cette récente bifurcation sur le trajet de sa vie, cet accomplissement professionnel ou humanitaire, ce nouvel amour inattendu ou cette liberté reconquise... Le look crée de la joliesse, du style. Pas de la beauté, pas de l'élégance. Je suis formelle : c'est quand les êtres se dépassent et sont fiers de ce qu'ils font et de ce qu'ils sont, qu'ils sont au zénith de leur beauté et de leur charisme. La beauté n'appartient pas à une caste, comme on tente de nous le faire croire. Elle appartient au monde du vivant.

CHAPITRE 3

Franchir le mur de la peur

Le problème du vieillissement,
c'est que les aspirations à la jeunesse sont définitives,
alors que la réalité est provisoire.

Avec l'altération de la beauté-jeunesse, nous avons l'impression de ne plus être en phase avec les standards et que cela nous éloigne de la vie. Tout pousse dans cette direction. Forcément, si on se laisse ligoter dans un cachot sur lequel il est écrit « antichambre de la mort », peurs, déprimes et pensées funestes ne nous quitteront plus. Il faut savoir que ce tumulte est passager, qu'il s'agit d'une transition, plus ou moins courte, vers un nouvel équilibre. Toutes les boomeuses ne frappent pas leur mur de la peur au rond-point de la soixantaine. Certaines traversent cette crise d'hyperréalisme, cet état de choc dès la quarantaine, d'autres à 50 ans et d'autres encore à 70 ans. D'autres, jamais. La commotion se compare à un terrible chagrin d'amour. Celui dont on croit ne jamais se remettre. Ici, ça n'est pas l'amoureux qui nous abandonne, c'est la bien-aimée jeunesse-beauté qui nous laisse tomber. Elle s'éclipse à pas feutrés, comme pour nous épargner. Pour plusieurs, cette fuite en douceur est plus souffrante qu'une rupture franche. On n'a rien vu venir et le réveil est brutal. J'ai toujours pensé que la plus grande peine d'amour est celle qu'on éprouve à l'adolescence. À 15 ans, on ne sait pas que la douleur finit par finir, qu'on aimera encore, qu'on sera aimé à nouveau. On est persuadé que personne au monde n'a jamais autant souffert. Plus tard, on a appris que les choses ont une fin, et le simple fait de savoir que le mal va s'arrêter le rend déjà plus supportable. Dans la crise du mitan de la vie, l'analogie avec le chagrin d'amour s'arrête là. C'est précisément le fait de prendre conscience que les choses ont une fin, en l'occurrence la vie, la beauté et la jeunesse, après s'être fait croire qu'on était éternel, qui rend ce tournant si abrupt. Nous sommes tous et toutes fous d'amour pour la jeunesse et la beauté, et puis, oups ! pas de retour en arrière possible, on ne sera plus jamais jeunes de nouveau. Les baby-boomeuses qui se sont sustentées des plus fols espoirs, qui ont bien mordu dans la pomme mythique de la jeunesse à perpète, en prennent pour leur rhume. Chaque femme est atteinte à sa manière, selon son histoire, ses valeurs, sa perception d'elle-même, ses aspirations, son passé... Et selon ce qu'elle vit ou ne vit pas lorsqu'elle franchit cette étape. Chose certaine, le sentiment de passer un cap, d'avoir un peu, beaucoup ou énormément la trouille, en épargne peu. Dès lors, nous entrons dans la tribu des tabougénaires.

Je ramais au ralenti, à travers un chenal étroit, poissonneux, dont je ne voyais pas le bout. Poissonneux de belles sirènes qui me faisaient envie, qui battaient des paupières pour Dimitri. Grouillant de monstres marins ouvrant leurs grandes gueules visqueuses pour m'avaler. C'est un carrefour où l'on prend des décisions souvent irréversibles : chirurgie esthétique, séparation, changement professionnel important, déménagement sur une autre planète... Parfois aussi, on se tape une bonne dépression. En rentrant de mon île de rêve, j'avais beau avoir retrouvé Dimitri et l'amour, ma vie avec ses ombres et ses lumières, je suis restée longtemps figée dans une torpeur alanguie, une indolence crasse. Et quand je retrouvais un peu de dynamisme, c'était pour saboter ce qu'il y avait de joie et de beau autour de moi... Mon refus de vieillir, ma peur agissaient comme une lunette déformante. Les 12 années d'avance que j'avais sur Dimitri m'apparurent comme un obstacle insurmontable, pesant comme 12 siècles : je devais le quitter avant qu'il me quitte. Il fallait que je mette la hache dans cet état de ravissement qui, comme la jeunesse et la beauté, ne pouvait pas durer. Détruire avant d'être détruite, briser avant d'être brisée, blesser avant d'être blessée. Surtout, ne jamais laisser une personne aimée côtoyer la déchéance et encore moins partager l'intimité de la décrépite. On se doit d'être belle pour son prince charmant, non? Un prince charmant, s'il ne peut être charmé, perd toute sa principauté. Me détériorer, dégringoler, OK. Mais seule. À l'abri du regard, de la pitié. L'amour-pitié: jamais. L'amour ici et la volupté ailleurs? Jamais. J'étais invivable et j'étais convaincue que le plus beau cadeau que je pouvais offrir à Dimitri était de disparaître de sa vie. Je m'offris donc deux peines d'amour pour le prix d'une. Je le quittai. Mais lui ne me quitta point.

En ce temps-là, je vivais aussi une solide amitié au quotidien. Vous voyez ce que je veux dire… L'amie du jour le jour, celle avec laquelle on improvise un cinéma, un repas de restes, une bière dans les feuilles d'automne. Une relation agréable, que l'on croit contingente, dont on ne soupçonne pas les agrafes autour du cœur… Une personne qui compte, sans qu'on sache qu'elle compte autant. Cinquante-cinq ans, apparemment en forme et fraîchement retraitée d'une longue carrière d'infirmière de haut niveau. La tête et le cœur débordant de projets tout neufs. C'était aussi ma voisine. Un samedi, elle n'a pas rentré son journal. Sa voiture était là, pourtant… J'ai pensé qu'elle était sortie à une matinée de théâtre avec des amis. Le lendemain, le journal du dimanche s'est couché sur le premier. Après avoir vérifié auprès de sa famille et de ses amies, j'ai appelé les urgences et nous sommes montés chez elle. Elle était morte. Rupture d'anévrisme cérébral, a-t-on appris quelques semaines plus tard. Encore aujourd'hui, j'ai peine à y croire. Les arrivées surprises, on connaît, mais les départs surprises, définitifs, ça laisse pantoise. Ironie du sort, lorsque j'avais éprouvé des ennuis de santé et qu'elle avait pris soin de moi, elle m'avait dit: «Toi, ne t'arrange surtout pas pour que je te trouve morte dans ton lit! Je ne te le pardonnerais pas!»

Deux semaines avant sa mort subite, elle m'avait dit sur un ton déterminé: «J'ai fini d'attendre le destin devant ma télé, dans des romans, dans mon salon. Puisqu'il ne fait pas de visites à domicile et qu'il m'attend peut-être au coin de la rue, j'irai à sa rencontre.» En vérité, dès que j'ai vu ses journaux abandonnés sur le seuil de sa porte, j'ai été anormalement inquiète. Je ne sais trop comment dire. Malgré le grand beau temps, on aurait dit que des nuages lourds et sombres stagnaient, menaçants, autour de sa porte. Il y avait du vide dans l'air. Du vide sur son balcon, autour de sa voiture, dans ses fenêtres. Trop de vide. Quelque chose de suspendu, du temps arrêté. L'air était chargé du temps qui venait de s'arrêter pour elle.

Orphée existe pour de vrai

Pas jojo de parler de la mort. Il le faut bien, puisque cette indésirable s'invitera plus fréquemment dans notre entourage, au fil des années. Ses passages aiguillonneront notre sentiment d'urgence de vivre. Gwendoline n'est pas la seule à avoir été pétrifiée par la perte soudaine de sa voisine-amie. Les acolytes d'Orphée m'ont plusieurs fois visitée, moi aussi, ces dernières saisons. Deux de mes sœurs, ma *best** d'enfance et ma *best* actuelle, ma peintresse-amie préférée, une collègue, la fille d'une copine et deux amies précieuses se sont battues contre des saloperies de cancers. Du sein pour six d'entre elles. L'une a perdu son combat au début de l'écriture de ce livre, une autre au milieu et la troisième, ma frangine aînée, à la fin. Presque toutes ont été frappées dans le portique du sexagénat. Pour les autres, soit le combat est gagné, soit elles continuent de se bagarrer. Ma grande sœur vient tout juste de tirer sa révérence. Elle avait été hospitalisée sans avertissement il y a trois mois: un lymphome agressif la ravageait. Elle n'est plus jamais rentrée chez elle. Assommante notice nécrologique? Triste litanie pour montrer que les deuils sont parties prenantes d'une vie qui avance. En rôdant, la mort vient cimenter la certitude de

* Meilleure amie.

notre réalité toute provisoire. Maudite bonne raison de profiter d'un état dont on est absolument certain qu'il ne durera pas.

Il y a quelques semaines, je suis passée au bureau de la Société canadienne du cancer acheter une douzaine de *thingamaboob**, ces jolis porte-clés, pour appuyer la lutte contre le cancer du sein. Très joli, fragile comme un sein de femme, le porte-clés mémo-mamo contient quatre petites boules de verre mauve. La première, minuscule, représente la taille d'une tumeur détectée lors d'une mammographie de routine ; la deuxième, toute petite, correspond au nodule dépisté au moment de la mamo initiale ; la troisième, un peu plus grosse, équivaut à une masse trouvée lors d'un examen manuel des seins dans le cabinet du médecin ; enfin, la dernière, d'un diamètre d'environ deux centimètres, est égale à la grosseur moyenne de la tumeur découverte par auto-examen. J'ai offert ces *thingamaboob* aux femmes de ma vie. J'en ai accroché un au rétroviseur de ma voiture et chaque jour je le regarde pour me rappeler de savourer chaque instant d'une vie éclaboussée de bonheur et pétante de santé. Chaque jour, je caresse les petites sphères en soufflant une caresse au sein blessé de chacune de mes amies. J'aime que mon regard croise quotidiennement des objets qui rappellent sans équivoque que seule la vie compte. Qu'il faut l'aimer, la célébrer, en jouir.

Il y a, en lien avec le vieillissement, une vulnérabilité nouvelle. Aujourd'hui, mon médecin m'a déclaré que je fais de l'arthrose avec l'air de m'annoncer que j'avais gagné à la loterie. « Même si cela ne se voit pas à vous regarder, vous avez plusieurs foyers d'arthrose. Cette dégénérescence est normale », m'a-t-il dit, tout sourire. J'adore dégénérer *normalement* ! Sans blague, je sais bien qu'il y a pire. Et je me doutais bien que je m'élime, comme le commun des mortels. Mais je ne tenais pas à me l'entendre dire... À partir de 50, 60 ans, c'est normal d'avoir la frousse. Jusque-là, les mécanismes du vieillissement ont fait leur boulot, dans l'ombre, sans trop de répercussions visibles à l'extérieur. Maintenant, le corps essuie les coups : c'est l'averse de petits grains, plis, taches, sillons...

* Mot japonais signifiant « truc », « bidule », « machin ».

Il devient aussi flagrant qu'un nez au milieu du visage que nous sommes des petites choses périssables. Comment ne pas avoir peur de vieillir, de souffrir et de mourir dans un monde de beauté glorifiée et quand on aime tant la vie ? C'est mon cas. J'ai même un peu honte. J'ai été béate d'admiration devant l'attitude de ma sœur qui était sur le point de lever les voiles vers un ailleurs définitif non annoncé. Jusqu'au dernier jour, elle a bavardé, souri, s'est informée de la santé des autres, de leurs occupations. Depuis sa chambre à la résidence de soins palliatifs, elle a demandé qu'on l'emmène faire ses adieux à sa maison, elle a convoqué son notaire, ses enfants, mis de l'ordre dans sa vie, dans les affaires de sa vie. À défaut de pouvoir faire le ménage dans sa grande maison, elle s'est fait apporter son coffre à bijoux et sa boîte à souvenirs ; elle y a mis de l'ordre, a assigné et distribué les objets précieux. Une des dernières fois que je l'ai visitée, je l'ai observée depuis le cadre de la porte sans qu'elle me voie : elle avait vidé son sac à main sur son lit, triait et classait consciencieusement son contenu. De la voir ainsi, paisible et affairée dans ses petites choses identificatoires, qui me semblaient à moi bien insignifiantes, j'ai fondu en larmes. Ma peine était sans fond. Ma joie aussi, de la voir si profondément sereine.

Je me résigne difficilement à l'idée que, dans le meilleur des cas, j'ai 20 ans devant moi. La pensée de ne plus participer à cette vie, à ma vie, de ne plus la boire à petites lampées me terrifie. Je comprends que Gwendoline ait la chienne*. Le défi est de ne pas laisser cette crainte empoisonner les derniers chapitres de notre biographie. Autrement, en dehors des affres de la maladie, de l'érosion de notre carcasse et de la peur du vide, l'âge est un concept arbitraire et relativement récent. Et la vie est mauditement belle !

L'âge : un compte à rebours

L'âge, dans la forme et le sens qu'on lui attribue, est un drôle de concept. Ses traces objectives ne datent que du début du

* Au Québec, « avoir la chienne » signifie avoir très peur.

deuxième millénaire, vers 1080. Ne me demandez pas comment on calculait le temps à l'époque des vieux prophètes pour que la Genèse prête à Mathusalem 969 années de vie, entre l'an 687 et l'an 1656 après la création d'Adam[18]. Le patriarche aurait eu son fils Lamech (le papa de Noé) précocement, à 187 ans, et celui-ci serait mort trop jeune, à 777 ans ! Rien, nulle part, sur l'âge de la ménopause des femmes. Existait-elle ? Survenait-elle à 550 ans ? Ou les verts prophètes étaient-ils condamnés à féconder des jeunesses de 100 ans leurs cadettes ? C'était jadis, à l'époque du Déluge. Récemment, il y a à peine un siècle, il n'était pas rare que nos arrière-arrière-grands-parents ignorent leur âge exact, les dates de naissance n'étant pas formellement consignées. L'adolescence n'existait pas, la ménopause non plus, puisque les femmes mouraient avant la venue de cet épisode gynécologique. Il y avait des enfants et des adultes, des jeunes et des vieux. Des vieux de 45 ou 50 ans.

Aujourd'hui, on peut dire que les saisons de la vie ont calqué celles de la nature, des lunes ou des quadrants du jour. On a longtemps parlé du « troisième âge » comme étant le dernier, pour ensuite ajouter le « quatrième âge ». Plusieurs manuels d'ontogenèse décrivent une vie humaine déclinée en quatre temps : matin (0-20 ans), plein midi (20-40 ans), après-midi (40-60 ans), soir (60-80 ans). Le matin s'étire longuement ; il n'en finit plus. Les minutes de l'enfance sont lentes, fraîches, inédites ; c'est le début du monde. De 20 à 40 ans, c'est le plein midi ; on s'élève, on vit à la verticale, dans l'action, l'actualisation de soi et de son potentiel — sentiment d'indestructibilité, le temps n'existe pas. Des moments de lucidité assaillent les 40-60 ans qui sont dans leur après-midi. On commence à se rendre compte que le soleil descend, que le temps est horizontal ; la machine a des ratés ou des coups de fatigue, mais il fait encore grand jour et c'est la pleine lumière. Puis arrive subrepticement, avec la soixantaine, le début de la fin du jour ; soit il fait bon, c'est frais et bariolé de multiples coloris, de lumière estompée, soit c'est humide et inquiétant. La soixantaine, c'est l'heure entre chien et loup. Nos yeux s'adaptent, on y voit moins bien. La grisaille génère insécurité et anxiété. On réalise qu'il n'y aura pas de second jour, qu'une vie humaine suit les courbes d'une journée. On sait que le moment viendra où on s'engagera dans le couloir de la nuit, sans en ressortir. Du moins, pas par ce bout-ci... Alors, parfois, on s'énerve. C'est connu : le crépuscule rend anxieux, alors que l'aube apaise. Quand on n'est pas trop inquiet, le début de soirée est une plage exquise. Qui dit début de soirée dit repos après le travail, distractions, apéro et *happy hour*, spectacle, théâtre, resto et plaisirs partagés. Plus tard, après 80 ans, c'est le prélude à la nuit, le grand âge. Si la qualité de vie est là, c'est du temps compté, donné, privilégié. Autrement, c'est du temps en trop...

Le chiffre d'âge est une représentation mentale dont il faut bien parler, puisqu'il a une importance fracassante sur la perception de soi et un prodigieux impact dans notre vie. Quand sommes-nous vieux ? Dans *La Femme de trente ans*, Balzac décrivait l'approche sournoise de la vieillesse. Avec Victor Hugo, son contemporain romantique, ouf ! elle est repoussée d'une ou deux décennies : « Quarante ans, c'est la vieillesse de la jeunesse, mais cinquante ans, c'est la jeunesse de la vieillesse. » Consolons-nous, la fée ombrageuse se penche déjà sur le berceau du nouveau-né... Et puis, Victor Hugo est né vieux. De là, peut-être, son génie. Dès l'enfance, quand j'étais témoin qu'une femme refusait de dire son âge, j'en déduisais qu'elle devait être très vieille. Je présume qu'on est vieux quand on a fait un bout de chemin tel qu'on a pris conscience qu'on n'est pas immortel. Existe-t-il vraiment des êtres sans âge, des vieux de 30 ans et des jeunes de 75 ans ? À l'instar du grand Hugo, certaines personnes naissent-elles vieilles ? Et d'autres meurent-elles jeunes à 100 ans ? Sans doute que oui. L'âge est un fait de nature et de culture trop enraciné, trop herculéen pour ne pas exercer son emprise sur tous. Et, surtout, sur toutes. Mais l'âge est aussi un trait d'émotion. J'y reviendrai.

C'est un lieu commun de dire que les femmes ont encore moins que les hommes le droit de vieillir. Pas le droit d'être vieilles. L'âge est donc un concept à deux vitesses, à notre détriment.

Apparecida, la jeune quarantaine, est ma professeure d'espagnol. De la dynamite, une femme d'une vive intelligence et formidablement émancipée qui, à ma grande surprise, a eu une attaque d'apoplexie en classe lorsqu'un étudiant lui a demandé son âge. Il lui aurait demandé si elle préférait jouir ou faire jouir qu'elle n'aurait pas été plus offensée! Bien sûr, son âge ne le regardait pas, mais la question justifiait-elle une réaction si violente? «On ne demande jamais son âge à une femme, avait-elle vociféré. À un homme, oui, à la rigueur. Mais jamais, jamais, jamais à une femme. Et ce, dans tous les pays du monde et dans toutes les cultures. Ne faites jamais cela en Espagne», avait-elle menacé, les bras au ciel, en mordant dans chaque syllabe. «Et pourquoi donc?» avait répliqué le jeune hispanophile tout penaud. «POURQUOI??? Parce que CE-LA-NE-SE-FAIT-PAS. Point à la ligne. C'est impoli, insultant, insolent, disgracieux, déplacé, inadmissible. Le plus grand manque de civisme. Si vous demandez son âge à une femme lors d'un voyage en Espagne, vous serez considéré comme le pire des malappris et cette femme vous tournera le dos à jamais.»

Demander à quelqu'un son âge: l'insulte des insultes. Dire son âge: le tabou des tabous. Entre vous et moi, ne s'agit-il pas là de la plus stupide des règles de bienséance? Mais la bêtise est parfois logique. Tout se tient. Quand on a honte de vieillir, il ne peut être que déshonorant de révéler son âge. Cela me semble un cuisant échec du féminisme. Sans aller jusqu'à dire «C'est merveilleux, j'ai une nouvelle ride ce matin qui n'était pas là hier!», ou «Quel bonheur de vieillir, je me languissais d'avoir 60 ans!», ou encore «Enfin, de l'usure! J'étais bien trop belle avant!», il me semble qu'on pourra affirmer que le féminisme est advenu quand on dira son âge sans gêne, honte ou déconvenue. Si on ne se prêtait plus à toutes ces simagrées et à ce maniérisme autour de l'âge, l'âgisme prendrait une dégelée. On a tellement l'âge et le vieillissement en horreur qu'on invente toutes sortes d'euphémismes pour les nommer. L'âge d'or pour dorer la pilule... L'âge de la sagesse pour brimer la folie... L'âge de l'expérience pour refouler les initiatives audacieuses... Au mieux pourrions-nous parler d'âge de cuir, non pas parce qu'on devient fétichiste (quoique...), mais parce que la peau se patine, se desquame, sèche, crie sa soif d'être ointe, huilée, graissée et cirée.

À quel âge est-on vieille ?

Si on fait abstraction de l'étiquetage social, nous sommes vieilles au moment où nous le ressentons, où nous en décidons. Je ne fais pas de lyrisme, je le pense vraiment. Pour certaines, c'est à 40 ans ; pour d'autres, à 80. Les chiffres sont des vérités bien relatives. Tout au long de la vie, on franchit son itinéraire personnel avec de l'avance sur les unes et du retard sur les autres. L'an dernier, en France, je participais à un documentaire sur la pornographie[19]. À une question de la journaliste à un consommateur de cyberporno, celui-ci répondit à peu près ceci : « Pourquoi aller vers des vieilles sèches quand j'ai plein de jeunes nanas à mon service sur le Net ? » « Une vieille, c'est quoi ? » poursuivit la journaliste. « Bien... Autour de 40 ans. » Et vlan !

Il y a la naissance. Il y a la mort. Entre les deux, il y a la vie, le vivant, les vivants. C'est tout. Nous galopons, trottons ou trottinons entre ces deux points, toujours dans la même direction. Impossible de faire marche arrière. C'est ce qui fait que nous sommes, tant que nous restons entre ces deux points, du côté des vivants. Il ne nous viendrait pas à l'esprit de demander à un agonisant s'il est vivant, non ? Alors, pourquoi cette préoccupation névrotique concernant l'âge ? Pour pouvoir dire : « Ah !... Elle a l'air bien plus vieille ! », ou « Oh ! Il ne les fait pas ! », ou encore « Hé ! Comme elle est bien conservée ! ». Moi, si quelqu'un me dit que je suis bien conservée, j'ai envie de lui mettre mon poing dans la gueule. Je ne suis pas dans une boîte de conserve, je suis en vie et je compte bien le rester jusqu'à ma mort.

Quel âge vous sentez-vous ?

Les années qu'on accumule, qu'on « les fasse » ou non, on les a ou on les *est*, selon notre langue maternelle. En français, l'âge fait partie des « avoirs ». J'ai 60 ans. Je possède donc 60 années de vie à mon actif! En anglais, l'âge renvoie à l'être: *I am 60 years old*. «Je suis 60 ans d'âge.» L'être que nous sommes dépend-il ou est-il concerné par le nombre de bougies sur un gâteau d'anniversaire? Et les années écoulées depuis notre naissance, les possédons-nous vraiment? N'est-ce pas plutôt elles, ces années, qui nous ont bien possédées? Finalement, l'âge, ce temps que nous avons écoulé depuis notre venue au monde, n'est-ce pas plutôt quelque chose que nous sentons? Cette succession d'années s'effilochant derrière soi comme la queue d'une comète ont été absorbées par la personne, son corps, ses cellules. Elles ont *dermographié* sa peau. Il n'est donc pas tout à fait juste de dire que le passé n'existe plus, puisqu'il est emmagasiné en nous et que nous le ressentons. Nous ressentons ce temps, nous ressentons notre âge. Pourquoi ne pas remplacer les formules «Quel âge avez-vous?» ou «Quel âge êtes-vous?» (*How old are you?*) par «Quel âge vous sentez-vous?» (*How old do you feel?*). Nous serions ainsi bien davantage dans le réel et le ressenti de la personne, et dans le moment présent, plutôt que dans des concepts arbitraires. En ce moment même, si vous me demandiez: «Quel âge vous sentez-vous?», je vous répondrais: 61 ans. Ça tombe pile poil, puisque c'est mon âge, chrono en main. Hier, l'estomac tout barbouillé, j'aurais sans doute répondu 75 ans. L'an dernier, j'ai barboté dans mon lac tout l'été, et tout l'été, j'ai eu la sensation d'avoir 10 ans... C'est l'âge subjectif. Ou sensitif.

On peut comparer l'âge aux phénomènes météorologiques. Certains facteurs climatiques influent sur les sensations de chaud ou de froid. Parfois, il fait 20 °C, mais on éprouve un ressenti de 30 °C à cause du facteur humidex. D'autres fois, il fait -15 °C, mais on ressent -30 °C en raison du refroidissement éolien. Je suis certaine que certains jours de grand beau temps dans votre tête, vous vous sentez 10 ans de moins. Et si le facteur *amourex* s'en mêle, alors là, vous en perdez 10 autres... À d'autres moments, si de grands pans de notre adolescence remontent en nous, on peut se sentir comme une jouvencelle, puis, le lendemain, il peut suffire d'une triste nouvelle, d'une blessure ou d'un accident pour qu'on éprouve un abattement de centenaire.

Hier, je regardais ma petite-fille Adèle. Elle a 15 ans, en paraît 18 et croit qu'elle en a 32... Tantôt, elle se comporte comme si elle avait 5 ans; tantôt, elle se prend pour la mère de sa mère. En boutade, je lui dis parfois: «Il est vrai que toi, Adèle, tu as 15 ans et que tu t'en vas sur tes 26, hein?»

L'inconscient ignore le temps. Dommage qu'il soit le seul à le faire! Voici, pour vous détendre un peu, un jeu de quatre questions pour calculer votre âge subjectif[20]:

- Au fond de moi-même, j'ai, la plupart du temps, le sentiment d'avoir ________ ans.
- En termes d'apparence physique, je me donne ________ ans.
- J'ai les mêmes centres d'intérêt qu'une personne de ________ ans.
- D'une manière générale, je fais la plupart des choses comme si j'avais ________ ans.

Simple comme bonjour: additionnez vos résultats, puis divisez par 4 et vous avez votre âge subjectif. C'est votre âge intérieur, votre âge le plus vrai ou, si vous préférez, le moins menteur. De surcroît, plus je réfléchis à l'âge, plus je trouve que cette classification, éminemment conventionnelle, est un calcul inventé pour diviser l'humanité.

À chacun son enclos...

Les ados avec les ados, les jeunes entre jeunes, les couples avec les couples, les vieux entre vieux... On pourrait faire des sous-compartiments: couples du même âge avec couples du même âge; familles avec enfants entre familles avec enfants; vieux riches avec vieux riches; jeunes pauvres entre jeunes pauvres... Quelle est cette manie de diviser et de cloisonner? Un analphabète de 46 ans ne peut-il pas se trouver sur les mêmes bancs d'école qu'un ado qui ne sait pas lire ? Pourquoi dois-je apprendre le chinois en compagnie d'autres adultes plutôt qu'avec des jeunes sinophiles ? Les groupes d'amis regroupent invariablement des gens sensiblement du même âge. Il n'y a que dans les réunions de famille, et elles sont de plus en plus rares, qu'on peut trouver autour d'une même table des êtres humains de tous les âges. Ces clivages sont si ancrés qu'on finit par trouver louche un groupe de personnes aux âges disparates. Il y a des avantages, j'en conviens, mais quelle perte pour nos collectivités d'être ainsi organisées autour de groupuscules homogènes !

Les jardins de fleurs les plus vivants et les plus remarquables sont ceux dans lesquels se côtoient la plus grande variété d'individus éclosant en alternance et successivement. Un foisonnement de couleurs, de formes, de silhouettes, de parfums coexistent, s'estompent, se marient et se relaient... Chaque être humain est comme le point central d'une spirale fleurie d'autres êtres humains. Près du noyau où gravitent nos relations les plus proches, puis en périphérie où circulent nos relations moins intimes, devraient se rencontrer des personnes de tout âge. Qu'y a-t-il d'incongru à ce qu'une femme ou un homme de 60 ans se plaise en compagnie de leurs petits-enfants adolescents et de leurs copains ? Ou avec leur voisin-ami de 80 ans ? Le mélange des genres et des générations est extrêmement distrayant, dynamisant, fécond.

Dimitri et moi voyageons souvent en train en Europe, surtout en France. L'an dernier, alors que nous voulions acheter des billets Paris-Lyon, le guichetier nous a convaincus d'acheter des forfaits qui permettent de faire des économies substantielles. Mais voilà que, en raison de notre âge respectif, nous ne pouvions pas nous prévaloir de la même offre. C'est que j'ai fraîchement droit à la catégorie «senior», ce qui en soi ne m'offenserait pas si on ne m'y contraignait pas. C'est cela ou rien ! De son côté, mon homme ne peut se prévaloir que de la carte Escapade avec ses avantages et ses désavantages. Tout cela n'est pas très grave, pensez-vous ? Si, ça l'est. En tout cas, cela a certes une incidence psychologique. Pourquoi, moi, n'aurais-je pas le droit théorique de partir en escapade ? Pourquoi m'enferme-t-on dans la séniorité, ce mot si proche de la sénilité ? Nos sociétés se rassurent et mettent de l'ordre dans le troupeau humain en cordant ceux et celles qui le composent dans des box bien alignés. En fonction de notre âge, que cela nous convienne ou pas, on nous impose subrepticement des activités et des modes de vie. Le pire, c'est qu'il est à peu près impossible d'en sortir. Lors de cet incident, j'ai voulu refuser les avantages pécuniaires liés à mon statut de senior et j'ai insisté pour acheter un forfait Escapade plus coûteux. Peine perdue. On a refusé mon argent, on m'a refusé ce titre de transport et on a renié mes intérêts et mon désir. Le message est clair : vous avez l'âge d'être grand-mère, comportez-vous comme telle et oubliez l'idée même d'aventure ! Fini pour vous les escapades réservées aux vivants. Évidemment, j'ai fini par acheter l'avantageux et unique forfait qui m'était proposé et Dimitri le sien. Et nous avons fini par plaisanter autour de ces petites boîtes dans lesquelles nous venions de nous faire enfermer, bien malgré nous. Depuis, il nous est arrivé, au guichet ou dans un train en marche, d'entendre le préposé ou le contrôleur aboyer, sans la moindre discrétion : « Madame a la réduction senior et monsieur est en formule Escapade ! » Pourquoi pas un porte-voix pour bien instruire tous les passagers que nous sommes soit un couple marginal, donc pas trop normal et nécessairement inquiétant, soit un couple mère-fils, donc encore plus anormal et louche ! Car, peut-on être autre chose qu'un grand dadais quand, à l'âge de partir en escapade, on voyage avec sa mère, sa grande sœur ou quelque autre « senior » ?

Pourquoi vieillit-on ?

Sans blague, si on le savait, on ne vieillirait plus. Voici tout de même trois explications théoriques du processus[21]. Les scientifiques expliquent le vieillissement par différents postulats dont voici les plus sérieux et reconnus.

A) La théorie de la destruction au hasard avance que la sénescence* est causée par des événements qui ont lieu au hasard. Des lésions aux protéines et à l'ADN augmentent et s'accumulent avec le temps. Le corps vieillit, car il n'arrive plus à se réparer.
B) La très en vogue théorie des radicaux libres prétend que l'on vieillit à cause de leur hyperactivité. Ces regroupements chimiques altèrent les cellules et détruisent l'ADN. Le processus dégénérescent serait ralenti par les antioxydants contenus dans certains aliments. Jusqu'à preuve du contraire, abusons des antioxydants!
C) Enfin, la théorie de la programmation génétique propose que nos organes sont programmés génétiquement et qu'à un moment donné, inéluctablement, ils se délabrent, tout se déglingue et plus rien ne va.

D'autres chercheurs ont essayé sans succès d'isoler ce qui serait une «hormone de la mort» qui déclencherait peu à peu le vieillissement. Tous ces postulats sont discutables, mais on peut affirmer que vieillir est inscrit dans notre capital génétique. Sinon, pourquoi les chats vivraient-ils jusqu'à 20 ans et les tortues jusqu'à 80? Et pourquoi les vrais jumeaux auraient-ils une longévité plus semblable que les frères et sœurs d'une même famille? C'est d'ailleurs en manipulant les gènes d'un nématode** que des scientifiques ont réussi à prolonger sa vie de 50%. Si l'on vit vieux dans votre famille, il y a de grandes chances que vous ayez vous aussi une longue vie.

Si le cœur vous dit de dédramatiser la question, certains sites Internet vous le permettent[22, 23]. Vous pouvez voir ce qui se passe dans votre corps en «vieillissant», comment vos neurones résistent aux saisons, pourquoi vous rapetissez et pourquoi vos cheveux se raréfient sur votre tête, alors qu'ils prolifèrent sur votre

* Je déteste ce mot. C'est le synonyme le plus *débilitant* du vieillissement.
** Un nématode est un ascaride; et un ascaride est un ver rond...

menton. Vous dépérirez en accéléré, pour de faux. Sans prendre une seule ride, pour de vrai. Et, s'il vous chante de vérifier si votre âge chronologique coïncide avec votre âge biologique, vous pouvez mesurer cette concordance par de petits jeux distrayants.

Les rythmes du temps

Dans toutes les langues et les cultures confondues, le mot «temps» est l'un des plus utilisés. En effet, parmi les 10 noms les plus employés de la langue française, 4 réfèrent à la notion de durée: jour, temps, vie, heure[24]. Essayez seulement de voir combien de fois vous avez dit le mot «temps» aujourd'hui... «Quel temps il fait? Je n'ai pas le temps. Dans le temps. Ce n'est pas le temps. De temps en temps. À temps. C'est le temps...» Des dizaines de fois par jour, sans qu'on en soit conscient, on se réfère au temps. Presque tout le temps. Il y a un temps pour chaque chose et tous les verbes ont un temps de conjugaison.

Il n'y a de réel que le temps présent. De vrai que le temps de notre vie. Vous connaissez la chanson: à l'instant même où je vous en parle, il est déjà passé! «Je n'ai pas le temps.» «Le temps me manque.» «Ah! Si j'avais du temps...» Ces sempiternelles récriminations temporelles, surtout dans la bouche des quinquas et +, m'énervent au plus haut point. Je me flagelle quand elles m'échappent. Il n'y a que dans la mort que le temps nous manque réellement, puisqu'il continue sans nous. Dire qu'on n'a pas le temps équivaut à affirmer qu'on ne fait plus partie du cycle de la vie. Aussi longtemps qu'on est vivant et conscient de l'être, non seulement on a du temps, mais on «est» du temps, on fuit avec lui. Le temps, si fugitif soit-il, est le seul et unique bien que nous possédions. C'est un bien limité, un trajet vite parcouru entre le moment de notre naissance et celui de notre mort... Nous ne détenons absolument rien d'autre que ce morceau de temps qui nous est attribué. Qui plus est, nous ne savons même pas combien d'heures, de jours, d'années nous sont alloués!

C'est un lieu commun: plus on vieillit, plus le temps passe vite. Pas de décélération possible; ça déboule. Enfant, le temps s'étire, n'en finit plus, stagne. Six mois, dans la vie d'un enfant de cinq ans, c'est énorme: 183 dodos. Non seulement c'est le dixième de sa vie, mais ces six mois représentent pour ainsi dire tous ses souvenirs. Que sont deux petites saisons pour une personne de 50 ans? Cent fois rien, un minuscule petit centième de sa vie jusque-là. La vitesse de croisière du temps est proportionnelle au nombre des années derrière soi. Plus elles sont nombreuses, plus c'est lourd. Alors le train s'emballe et fonce à toute allure, lesté par son poids.

Vous rappelez-vous vos vacances estivales d'écolière? Je me souviens qu'en août, j'avais l'impression que cela faisait des siècles que je perdais oisivement mon temps dans les bois et les champs. Aujourd'hui, trois mois de vacances me semblent avoir commencé avant-hier... Tout est question de contexte, de cadre de référence et aussi de passion personnelle dans ce qui nous occupe. La même perception vaut pour l'argent: 20$ constituent une somme non négligeable pour un indigent, mais que valent 20$ pour un nabab? Le temps et l'argent nous possèdent bien plus que nous ne les possédons. C'est, j'en conviens, une comparaison un peu boiteuse, quoique... l'adage dit bien que le temps, c'est de l'argent. Contrairement à la valeur d'une devise, celle du temps est inestimable. Leur dénominateur commun, absolument incontestable, est que, plus ils fuient, plus on court après eux et plus on les compte.

J'enrage de ne pouvoir ralentir ce fou furieux qu'est le temps. Et j'enrage que tout me prenne plus de temps qu'avant. Il y a de quoi devenir dingue, non! Quand je fais mon tour de lac en kayak, je sais, même si cela s'est installé progressivement et sournoisement, qu'il me faut plus de temps qu'il y a 10 ans à mettre l'embarcation à l'eau, à quérir les avirons et à enfiler mon gilet de flottaison. Je sais aussi que je mettrai environ une heure à faire le tour de mon petit lac à un rythme de promenade, là où j'aurais mis 45 minutes il n'y a pas si longtemps. C'est ainsi. Mais, le pire, c'est que cette balade que je percevais comme un très long moment de plaisir, se dépliant à l'horizontale, me semble désormais un instant fugitif qui s'élève verticalement dans l'air du temps pour s'évanouir aussitôt.

Mais la coquine Gwendoline ne nous parle pas de la qualité de son plaisir. Par bonheur, le plaisir ne s'altère pas à mesure qu'on vieillit. Loin s'en faut! Il se transforme, se démultiplie à certains égards. Nous y reviendrons en long et en large en allant à la rencontre d'Éros, un peu plus loin.

Bref, tout prend trop de temps et tout va trop vite. Et c'est bien ennuyant. De surcroît, plus le temps passe, plus on sait que ça ne durera pas: dans un avenir qui se rapproche à pas de géant, il va continuer son chemin, le temps, mais sans nous. C'est pour les vivants que le temps s'arrête. Lui, il file. Il ne s'arrête jamais. Pas même pour la plus belle ou la plus illustre d'entre nous. Cela est désolant et consolant. Si nous avons encore 10, 20, 30 années de bonne vie à venir, si nous avons le privilège de les parcourir bien portantes, à nous de dire non à tout ce qui n'est pas aussi précieux que ce cadeau. Par définition, vieillir ne dure jamais très, très longtemps. Profitons-en.

L'ennemie fidèle: la peur

J'aime bien rencontrer des vieux et des vieilles téméraires. Il en existe, mais ils sont rares. Le monde des vieux est un monde de trouillards. La peur est une émotion que je ne connaissais pas jusqu'à cette haïssable soixantaine, jusqu'à ce que je sois une pré-vieille. Bon, je suis probablement encore plus aventureuse que le commun des mortelles, mais je découvre désormais sa malfaisance. J'ai peur des mauvais sorts: ceux que l'on jette aux personnes vieillissantes et ceux qu'on leur réserve. J'ai peur des verrues de sorcière, des poils au menton, des varices, d'être une vieille et d'être une laide. J'ai peur de souffrir et j'ai une peur bleue de mourir. J'ai peur du néant, de tomber dedans et d'y rester éternellement. J'ai peur d'être morte et de l'idée que je ne saurai même pas que je le suis, puisque mon cortex cérébral ne sera plus en mesure de produire la moindre pulsion électrique qui me permettrait de percevoir mon état de morte[25]. J'ai toujours été fascinée par l'inconnu. Maintenant, il me semble que l'Inconnu, avec un grand I, rôde autour, au bout de ma rue, et j'en ai peur. En fait, plus je réfléchis à mes frayeurs nouvelles, plus je m'aperçois que je crains par-dessus tout l'inexistence. Je suis incapable d'imaginer l'inexistence. Incapable d'évoquer l'idée du moment où ma conscience s'éteindra comme dans une période de sommeil sans rêves. Je voudrais que mon futur néant me soit accessible dès maintenant afin de voir de quoi il a l'air. Je suis une femme de maîtrise. J'ai toujours eu besoin d'avoir du pouvoir sur les choses. En fait, je suis une maudite contrôlante. Je ne serais pas étonnée que les personnes les plus « en contrôle » soient également les plus chieuses devant la mort. Je suis sans pouvoir. Je suis sans espoir d'échapper à ce destin tragique. Pour la fille toujours pleine d'espoir que j'ai été, c'est terrible.

Le problème, avec l'espoir, c'est que c'est une vertu entière, sans gradation. On espère ou pas. On en a ou pas. Il y a l'espoir ou l'absence d'espoir. Le grimaçant chiffre 6 de la soixantaine qui a tant rebuté Gwendoline me fait penser à ces flèches qui s'allument par intermittence sur les lents camions qui sillonnent les routes en réparation. Vous savez, ces flèches lumineuses indiquant les changements de voie... ? Le 60 est un chiffre-flèche clignotant qui avertit que la route achève. Tant mieux, s'il nous rappelle de ne pas rater notre sortie. La soixantaine accueille ses jubilaires en carillonnant la fin éventuelle de la récréation. Jusque-là, on feignait la sourde oreille. L'ouïe ne faiblit pas en vieillissant : elle s'affine pour percevoir le glissement des grains de sable dans le sablier. On comprend enfin qu'il n'y a pas de mot plus juste pour parler de la vie que « récréation » (re-création) ; que tout ce qu'on fait, que tout ce qu'on a à faire, entre le moment de son arrivée dans le cycle de la vie et le moment de quitter la scène, est de créer et de recréer sa propre vie. Que l'on engendre ou non de nouvelles vies, on recrée sans cesse, on féconde : du sens, du sens à vivre, de la joie, des objets, des idées, des valeurs, de la beauté, des projets, etc., en espérant, consciemment ou inconsciemment, qu'ils nous prolongeront. On le fait tout au long de notre histoire, un peu comme des automates, jusqu'à ce que le clin d'œil de la soixantaine décrète les mesures d'urgence et nous rende, de ce fait, farouchement conscientes.

Cette nouvelle certitude quant à nos limites et à notre finitude humaine, combinée à un tic tac intérieur fébrile, nous met sens dessus dessous. On est à fleur de peau, à fleur de cœur et d'âme. La quinqua se voyait chancelante dans la pupille de l'homme ; la sexa ne s'y voit plus. Pas besoin de poudre de perlimpinpin pour se rendre invisible. Il suffit de vieillir. À la hantise d'être *out* s'ajoute celle d'être seule, de ne plus être désirable, de souffrir et de mourir seule. Il faut prendre la pleine mesure des doubles standards qui persistent tout au long de la vie. Si la peur a raison de notre *vivance*, on aura tendance à s'arrêter, bien trop tôt. Jusqu'au bout il y a à vivre et à ressentir, à faire et à inventer. « Quand on est mort, c'est qu'on est mort », dit la chanson*. Pas avant. Il est temps de détromper le despote culturel qui statue que certaines décennies existentielles transportent une date de péremption, qu'une non-jeune ne peut être rien d'autre qu'une laide ou un avatar. Il est temps de secouer les Gwendoline Dubois de ce monde, celles autour de nous et celle qui vit en nous. Vieillir ne signifie pas perdre tout pouvoir de séduction. Manifestement, le troisième millénaire, avec sa frénésie du jeunisme, craint autant les femmes vieillissantes que le Moyen Âge a craint les sorcières. Le Moyen Âge les envoyait au bûcher, le troisième millénaire les expédie chez le plasticien. L'objectif est le même : tromper la peur et n'avoir que de la jeunesse dans son champ de vision.

Voir notre beauté se faner nous fait peur. Et avoir peur nous enlaidit. C'est infernal. La peur est réciproque : elle nous habite parce que nous l'inspirons, nous l'inspirons parce qu'elle nous habite. C'est en nous affranchissant de la nôtre, celle d'être pleinement vivantes, que nous aurons un impact sur celle qu'on nous témoigne de manière dissimulée. Une autre bonne raison de la débusquer ? La peur rend laide : elle creuse des sillons, marque la peau, voûte le dos, fore des rictus... Elle bloque l'énergie vitale. Elle est le principal, sinon le seul adversaire réel dans la vie. Elle est vicieuse mais elle n'est pas invincible. On peut extraire le ver de la pomme.

---

* Jean-Pierre Ferland, superbe chanson, *Le chat du café des artistes*.

On ne peut rien contre Chronos. Sous ses airs de pépère magnanime avec sa longue barbe, sa faux et son sablier, c'est une sale et invincible brute. Si Ananké, son épouse personnifiant la destinée, n'était pas la reine des fatalistes, elle ne l'aurait certes pas enduré de toute éternité. Enlacés, les *alter deo* nous entraînent dans la rotation éternelle.

J'ai effleuré plus tôt le mystère de l'inexistence à laquelle nous sommes sans espoir d'échapper. Si nous n'étions pas dotés de conscience, cette terreur du néant n'existerait pas. L'être humain est ainsi fait qu'il est incapable d'imaginer qu'il n'y a rien après la mort, même lorsqu'il en est intellectuellement convaincu. Pourquoi donc est-il si difficile de conceptualiser l'inexistence[26] ? Pour la raison très simple que, lorsqu'on tente d'imaginer à quoi ressemble le fait d'être mort, on fait appel à notre bibliothèque d'expériences de vivant. L'imagerie cérébrale a démontré que notre cerveau fonctionne en combinant des souvenirs. L'erreur, c'est que, jusqu'à preuve du contraire, la mort ne ressemble à rien de ce qui nous est familier. N'ayant jamais été « consciemment sans conscience », nos meilleures fictions du vrai néant sont probablement bien farfelues. Les êtres humains craignent l'inconnu, l'étrange et l'inexploré, et la mort personnifie l'inconnu suprême. Normal d'avoir le vertige en essayant de remplir notre conscience d'une équation qui ne comprend que des inconnues.

Tout petits, nous avons appris que maman ou papa continuent d'exister quand on ne les voit plus, lorsqu'ils passent d'une pièce à l'autre dans la maison, par exemple. Nous avons compris aussi que la gardienne continue d'exister dans un autre lieu quand elle rentre chez elle. En psychologie du développement, l'expression spécifique pour désigner ce concept est la « permanence de la personne[27] ». Ce mécanisme bien ancré ne se désactive pas et nous amène, lorsqu'on perd une personne proche, à l'imaginer dans une autre existence, ailleurs. L'idée de permanence de la personne empêche de concevoir que le défunt n'est nulle part, qu'il n'est plus que résidus de carbone inanimés, que son intégrité s'est dissoute... Cette digression pour essayer de me convaincre moi-même que le fait d'avoir peur de la mort, ou à tout le moins d'être de plus en plus conscientede son indéfectibilité en avançant en âge, est la chose la plus naturelle qui soit…

Finalement, quand on aime la vie comme je l'aime, qu'est-ce que vieillir ? Une magnifique calamité. Vieillir en beauté ? Un oxymoron. Vieillir en jeunesse ? Un canular. Vieillir est une obligation pour continuer à vivre. C'est accumuler les saisons et grossir le baluchon. Pas d'alternative. Une fois le choc passé, vieillir est bon et goûteux, parce que vivre est bon et goûteux.

Femme vintage, âge tabou

En mettant le pied dans cette sensuelle brunante, j'ai constaté que ma jeunesse avait filé comme une maille dans un bas. À peine a-t-on constaté la petite excavation dans la soie qu'elle a grimpé en échelle. Et c'en est fini de cette paire de bas. Elle est bonne à jeter. Plus mettable. N'est-ce pas ainsi qu'on considère la femme qui passe la cinquantaine ? Plus mettable… plus baisable ? Et cela, même si elle est chargée à bloc d'aspirations affectives, même si elle a atteint un haut niveau de confiance en soi, de compétence érotique, d'humbles certitudes… Même si elle a des seins qui ne demandent qu'à vivre et un clitoris qui continue de faire toc toc…

Une fois les peurs dépassées, les faussetés éventrées et les lieux communs déconstruits, on s'aperçoit que vieillir comporte des droits et des bonheurs inaliénables : le droit d'être une *senior* tonique, hédoniste et dynamique, et d'être reconnue comme une femme, sexuée, sexuelle et érotique. Il y a bien longtemps, en travaillant avec des personnes âgées, je me suis rendu compte de leur inaltérable besoin d'être considérées comme des hommes ou comme des femmes jusqu'au bout du voyage. Le sentiment intérieur d'être des personnes sexuées et le sentiment d'appartenance au groupe de leur sexe ne se démentent jamais, peu importe l'âge. C'est l'expression de l'identité de genre, de l'identité érotique.

Il n'existe pas d'antidote à ce processus continu et irréversible du vieillissement, mais la vie distille bonheurs et surprises sans relâche. Les plaisirs anciens ne font pas leur valise, de nouveaux s'additionnent avec une disposition humaine toute neuve pour les apprécier. Empiffrons-nous d'amour, d'amitié, d'affection. De câlins, de douceur, de baisers, de marques d'attention. Après les thés verts japonais, les oméga-3, la vitamine D, le chocolat noir, les petits fruits rouges, la glucosamine, les bons vins rouges qui nous vitalisent, goinfrons-nous de ce qui nous fait plaisir à nous, de nos passions propres, de nos folies singulières, de nos désirs personnels. Si on ne les étouffe pas et si on ne laisse personne les juguler, on se rend compte qu'ils foisonnent et nous transportent de satisfaction.

Tout le monde est atteint, à des degrés divers, par cette obsession anti-âge qui frappe toutes les sociétés de la planète, développées ou émergentes. La frénésie du « rajeunir à tout prix » est un mal contagieux, endémique, pandémique. Un virus mortel. Être vieille, c'est tabou. Être vieille et désirante, c'est le tabou des tabous. Démantelons ces mythes. Choquons. Choquons, non pas pour choquer, mais pour exister, pour vivre sans relâche. À moins de défis extravagants comme escalader l'Himalaya ou sauter en bungee, bravades difficilement accessibles tant au poupon qu'au centenaire, l'âge ne devrait jamais être un critère d'exclusion. Ou d'inclusion. Témoignons-en. Restons du côté des vivants aussi longtemps qu'on est vivant. Martelons l'idée que l'Univers, et plus précisément notre univers, est une médaille à deux faces : le vivant et le non-vivant. Il n'y a pas de troisième voie. Le reste, les âges ainsi que les prérogatives et inconvénients qui leur sont dévolus sont des billevesées de l'organisation sociale.

Dès la quarantaine, il faut se mettre en mode vigilance. Se demander s'il faut continuer de s'étourdir dans la performance et autres quêtes futiles. L'état de veille lucide est nécessaire pour rester consciente de la beauté de la vie, de la beauté des choses, de sa propre beauté, de la grâce qui nous est donnée de vieillir... Une veille active. Une veille aussi parfois dans le sens folklorique et convivial d'« aller veiller » pour faire la fête. Il n'y a plus de temps à perdre dans les longs détours ou dans les dédales labyrinthiques. C'est, de plus en plus, le temps de jouir. De rire aux larmes. De pleurer de joie. Si vous n'avez jamais envoyé paître les rabat-joie et éteignoirs, offrez-vous enfin ce bonheur...

Bien avant d'obtenir de la SNCF mon ticket de senior, j'ai pris une multitude de trains avant d'aboutir à cette gare numéro 60. Depuis celle-ci, un ttgv** me mènera, nous mènera, tous et toutes, vers une ultime destination. Je ne suis pas libre de monter ou non à bord de ce convoi. Mais je peux choisir d'y monter lentement, de céder ma place, de ne pas me laisser pousser, presser, bousculer. Mon temps est plus précieux que tout. Autant que faire se peut, je n'en céderai aucune parcelle à la souffrance, à l'attente déçue, à l'illusion ou au mensonge. Je veux flâner dans les couloirs de cette station. M'étirer comme une chatte de gare. Ronronner. Me nicher dans ce corps qui me sert bien, ce corps que je regarde bouger, se délier, circuler, traînasser… Un corps intègre et presque intégral, l'utérus en moins et quelques nécessaires dents de porcelaine en plus. Me caler dans ce corps qui s'est laissé toucher, qui a été touché. Et retouché : de caresses, à mains nues, sans scalpel. Toutes mes pièces sont d'origine et ont le même âge que moi : mon nez, mes rides, mes nichons, mon cul, mes lèvres, mes bourrelets, ma combinaison de peau… Tout est original, fabriqué de mes cellules d'origine. Toute ma peau, jadis si épaisse, ferme et lisse, ressemble à une combinaison un peu grande. Elle tombe comme tombent certaines robes de chez Rodier, comme les anciennes robes sacs. En fait, si tout autour de moi ne s'acharnait à me convaincre avec force véhémence que je ne peux désormais qu'être un repoussoir, je trouverais que ma robe de peau tombe bien et qu'elle est plutôt belle, singulière, unique et attrayante. Je trouverais beau et touchant mon corps. J'aimerais ce corps vintage. À 60 ans, je sais désormais que je ne mourrai pas toute jeune. Si ça se trouve, je voudrais mourir belle… Belle à mes yeux, belle aux yeux de l'homme que j'aime, belle aux yeux de ceux et celles qui m'aiment et m'ont aimée.*

* Société nationale des chemins de fer français.
** Train à très grande vitesse.

En viendrons-nous à concevoir que la beauté existe en dehors de la jeunesse ? De certains modèles ? Que la vie vaut la peine d'être vécue après la jeunesse ? Quinquagénat, sexagénat, tabougénats... Rien à voir avec l'âge de la sagesse et de l'or. Une fois le choc absorbé et dégluti, c'est l'âge de la félicité. À force d'avoir côtoyé les peines et les déceptions, les plaisirs et les joies, on a appris à botter le cul des premières, à retenir et à élargir les seconds. On domestique le bonheur. Avec un peu de témérité, on ira jusqu'à se mettre en ménage avec lui.

Le bonheur et l'ennui, clés en mains ?

Une science du bonheur serait en train d'émerger. De nombreux chercheurs s'y intéressent et d'innombrables travaux sont menés ici et là, tant dans des départements de psychologie et de sociologie qu'en neurosciences, en génétique ou en économie. Malgré l'insistance du message social nous exhortant à croire que l'argent, la jeunesse, le succès et la beauté garantissent le bonheur, on sait bien que c'est de la foutaise. On le sait, mais on l'oublie, jusqu'à ce qu'un événement, le plus souvent une tragédie, nous le rappelle. Il faut qu'une jeune star ou qu'une déesse de beauté, enviée de tous et toutes, se suicide ou détruise la vie de ses proches pour que ce savoir assoupi remonte à la conscience. Réjouissons-nous : avec les signes de vieillissement vient souvent le talent pour le bonheur. Et le bonheur, il se moque bien de l'âge, du sexe, du quotient intellectuel, de l'apparence, du niveau d'instruction et même du statut économique. Plus démocratique que ça, tu meurs ! Le bonheur se voit, se remarque, et ses manifestations incluent, tout en allant bien au-delà, la contraction des muscles zygomatiques qui tirent les coins de la bouche vers les oreilles. Comme le bonheur est une expérience subjective se pointant rarement là où on l'attend, il est malaisé d'en formuler une définition universelle.

La psychologie « positive[28] » ose néanmoins brosser un portrait de la personne heureuse. Lapidaire, je dirais que celle-ci vit avec engagement et insuffle du sens à ses actions. En fait, on nage en plein bonheur lorsqu'on est concentré et entièrement captivé par des actions qui nous passionnent et qui mobilisent notre savoir et notre adresse. Si on ajoute à cet accomplissement des relations personnelles, affectives et sociales consistantes, c'est la félicité. Mais encore faut-il, pour être heureux, prendre conscience de son bonheur. Pas de conscience, pas de bonheur ! Un des tours que nous joue le bonheur, c'est de se faufiler dans les interstices de l'existence et d'échapper à la conscience. S'il échappe à la conscience, c'en est fait, il nous échappe aussi, devenant une sorte de *flash-back* que j'appelle le bonheur rétrospectif : c'est après avoir été heureux qu'on se rend compte qu'on l'était ! Dans ce monde où l'on nous inculque l'idée que cette plénitude est tributaire d'un statut économique, social et esthétique ou le résultat de grandes réalisations ou d'exploits démesurés, prendre conscience de son bonheur n'est pas si facile !

Trop souvent, on « prospecte » le bonheur, comme si on cherchait de l'or. Comme s'il se terrait très loin, au Pérou, aux Galápagos ou en Alaska, dans des contrées de rêve. Combien de gens[29] remettent le bonheur à plus tard en pensant qu'ils finiront bien par le trouver un jour ? Pour les adolescents, le « futur » correspond à environ cinq ans. Quant aux « grandes personnes », elles rêvent que le bonheur débarquera avec le nouvel emploi ou la nouvelle maison, avec le prochain tour du monde ou la prochaine chirurgie esthétique, avec la fortune à venir ou la retraite dorée... Certes, les suivis à long terme infirment ces estimations, le bonheur futur étant une chimère tout occidentale. Le bonheur futur ne peut être qu'un bonheur futur et, de ce fait, jamais inscrit à l'agenda de l'instant présent ! S'accrocher à une proposition de béatitude ultérieure, standardisée, c'est devenir le principal obstacle à son bonheur.

Il n'y a pas de recette du bonheur. Il y a quelques clés. J'en connais deux, aussi indispensables l'une que l'autre pour créer la brèche susceptible de le laisser entrer. La première clé ouvre le chakra du bonheur, nous déverrouille, nous rend disponibles. C'est la clé de l'accueil. La seconde ferme la porte aux démons de l'illusion et de la méprise. C'est la clé du renoncement. Mais, attention : ici, renoncer ne signifie pas sacrifier. Il s'agit, avec ces clés, de s'agréer soi-même, de se donner l'hospitalité, d'accueillir son corps comme on reçoit un invité de marque, de se réjouir de tout ce qu'il peut faire et ressentir de potentiellement agréable : voir, entendre, toucher, caresser, sentir, réfléchir, jouer, créer, marcher, nager, bouger, goûter, frissonner, suer, jouir, se régaler... Accueillir qui on est et comment on est, en cessant le jeu des comparaisons. Quant à la clé du renoncement, elle barre la voie à la duplicité, aux rêves fourbes qui ne font qu'entraver le plein potentiel d'épanouissement. Avec elle, on renonce à se laisser duper, on se prémunit contre les supercheries qui, au bout du compte, empêchent d'être heureux en détournant l'être humain de son pouvoir d'être l'auteur et le créateur de sa propre vie. Avec ces clés, on sait que ce ne sont pas les autres qui nous rendent heureux, mais nous qui devenons capables d'être heureux, avec ou sans les autres.

Quand on demande à l'écrivaine Dominique Rolin[30] quel bilan elle fait du bonheur, elle répond que le sien a résidé dans sa capacité de s'étonner tout en ayant prise sur sa vie. Cette femme de 97 ans, auteure du *Jardin d'agrément* et du *Journal amoureux* dédié à son histoire d'amour avec un homme de 20 ans son cadet, affirme que sa grande satisfaction a été de réussir à concilier sa vie personnelle et intime avec sa vie professionnelle et publique. L'harmonie, atteinte en milieu de quarantaine, ne l'a plus quittée. Et l'un de ses grands ravissements, dans cette toile de fond de plénitude, fut de se voir, elle, assise au beau milieu des mots, dans le dictionnaire. Sa vision, combinée à la mienne, donnerait une proposition semblable à celle-ci : pour être heureux, vivons avec lucidité et émerveillement.

Chaque personne a sa manière bien à elle de vivre émerveillée. À la stupéfaction générale, mon frère Jean s'est mis à la voile à 65 ans. Il souffre d'emphysème, mais il vient d'acheter son second voilier. Depuis quelques années, il navigue en solitaire sur le sinueux lac Champlain, son épouse jugeant cette passion tardive complètement démente. On peut dire, sans jeu de mots, qu'il avait besoin d'air et de vent dans les voiles. Il ne peut plus gonfler ses poumons d'oxygène, alors il en sature inlassablement ses grands carrés de toile forte. Plus ou moins sciemment, il a remplacé ses lobes respiratoires détruits par du gréement bien sain. Son médecin, d'abord inquiet, a eu la sagesse de ne pas le décourager, de le laisser s'épuiser de bonheur. Mon frère n'a jamais eu les yeux si bleus. Il n'a jamais été si resplendissant. Heureusement qu'il ne s'est pas laissé rebuter et voler cet épisode enchanté de sa vie. À 68 ans, il n'a jamais été aussi beau.

La cinquantaine est une décennie sacrée pour la découverte de nouvelles passions. Juste pour soi. Ou pour partager. Histoire de rassurer les femmes qui sont en couple et qui craignent le « syndrome du nid vide », sachez une fois pour toutes que ce dernier n'existe que si nous avons mis tous nos œufs dans ce seul panier. La libido par exemple, très élevée en début d'union, baisse ensuite par à-coups pour atteindre son plus bas niveau lors de l'adolescence des rejetons[31]. Eh oui. On s'énerve tellement alors avec la sexualité de nos jeunes, que l'on imagine débridée et insatiable, qu'on laisse la nôtre s'étioler. Mais, ô surprise ! Après le départ du dernier enfant et avec les retrouvailles en tête-à-tête, les corps se donnent des rendez-vous doux et voilà la satisfaction conjugale du « vieux » couple qui regrimpe à son niveau initial ! De quoi nous faire espérer de ne pas avoir accouché de Tanguy ! Quant aux femmes qui vivent en solo, en solo résidentiel s'entend, il ne leur reste plus qu'à se découvrir de nouvelles passions, à s'en gaver et à en remplir leur nid. J'en connais une qui s'est privée de musique et d'espace durant toute sa vie de mère poule. Une fois les enfants partis, elle a transformé la plus grande pièce de la maison, la plus belle et la plus lumineuse. Elle y a installé son piano, une plante et un tableau. Rien d'autre. La pièce zen dont elle rêvait. Dont elle s'ennuyait…

Un jour, je gardais ma petite-fille alors haute comme cinq pommes. Dès le saut du lit, elle me harcela pour savoir ce que nous allions manger, ce que nous allions faire après le petit-déjeuner, en avant-midi, puis si nous allions jouer dehors ou aller au ciné, si nous allions manger au resto à midi, où nous irions en après-midi, et ce soir, puis ensuite, puis demain… Éreintée, n'en pouvant plus d'entendre son babillage, je lui coupai le sifflet: «Aujourd'hui, ma chérie, on va s'ennuyer. Tu vas voir comme ce sera bon!» Elle est restée estomaquée! Bouche bée! Paniquée devant l'inaction obligée. De fait, nous n'avons rien planifié, rien fait de la journée qui fut le moindrement organisé. Nous nous sommes assises, relevées, rassises, recouchées. On a regardé par la fenêtre, aperçu des oiseaux, fermé les yeux... On a traînassé, flâné, barboté dans la baignoire jusqu'à être toutes chiffonnées... Déambulant avec les cerfs dans les bois du Parc régional de Longueuil, nous avons respiré des parfums de terre et de champignons. Nous nous sommes égarées et il s'est mis à pleuvoir des clous et nous chialions qu'il «pleutait» vraiment trop fort. Tu te souviens, Adèle, de cette souveraine journée de désœuvrement? De ce devoir d'ennui qui n'avait d'ennuyant que le mot?

Je dis souvent que je ne m'ennuie jamais. C'est une demi-vérité. Je m'ennuie, mais j'associe cette langueur au bonheur. On dit aussi que certaines personnes sont génétiquement mieux programmées pour le bonheur. Si je me prends en exemple, je dirais que je suis généralement plutôt encline à la joie. Mais Dimitri, lui, c'est simple, il carbure au bonheur. Il n'a pas toujours le sourire accroché au visage. Chez lui, c'est de l'intérieur que ça sourit. Il voit toujours la face éclairée de la Lune, même quand celle-ci est noire. Pour lui, les choses vraiment graves sont aussi vraiment rares.

Nous avons vu que ce sont la jeunesse et la beauté qui donnent des prétentions d'invincibilité; et que, en perdant nos plumes de paon, nous devenons fragiles et inquiètes. Quelle solution est offerte aux femmes aux prises avec les démons de la peur de vieillir, de ne plus être belles et désirables? La seringue et le bistouri. Or, jamais ceux-ci ne sauraient remédier à la peur, guérir de la détestation de soi, insuffler le sens du bonheur. Avec eux, on n'est pas toujours plus jolie ni plus désirable; on est parfois plus «divisée». Avec ou sans scalpel et piqûres chasse-rides, on continue de se défraîchir, de vieillir, et on finira par mourir un jour. Sans eux, on peut aussi continuer de mordre dans la vie et d'être belle, à condition de se libérer de la fausse équation «jeunesse = beauté». C'est une terrible illusion de croire que jeunesse et beauté octroient tous les pouvoirs et garantissent tous les bonheurs. C'est une méprise bien plus lourde encore de croire que le masque des modifications esthétiques nous sauvera. Un masque ne peut que dissimuler et le revêtement d'une fictive robe de fraîcheur ne change rien à la donne...

Nelly Arcan* a bien personnifié, dans son œuvre comme dans sa vie, le refus absolu de vieillir. Ses livres sont imprégnés de cette hantise de devenir moins belle, moins désirée, moins performante, moins bandante, moins admirée pour sa beauté; de cette inaptitude à passer du statut d'objet de convoitise à celui de sujet de sa propre vie. Dans son roman *À ciel ouvert*, Arcan met en scène deux personnages féminins, des jeunes femmes qui ont pour seule aspiration et pour unique intérêt existentiel de rivaliser pour la conquête d'un mâle. Se définissant comme strict objet de désir et de séduction, l'une et l'autre se soumettent, pour être la plus bandante des deux, à toutes les transformations chirurgicales esthétiques imaginables: gonflement des lèvres, étirement du visage, augmentation mammaire, infantilisation du vagin, etc. L'auteure avait elle-même recours à l'«embellissement» chirurgical et aux entretiens d'infiltration. Quand on voit la photo de l'adolescente qu'elle fut à côté de la jeune femme qu'elle était devenue, on a le sentiment d'être devant deux personnes différentes. Elle n'a débusqué ni ses fantômes ni son aversion pour elle-même, puisqu'elle a choisi de tirer sa révérence à 35 ans.

Troisième résolution

L'âge n'est pas une réalité palpable et matérielle. L'âge est une abstraction. On ne possède pas plus nos années de vie qu'on *est* ces années. C'est une hérésie de croire que le temps se cumule ou s'accumule. Vous avez beau dire: «J'accumule du temps

* Écrivaine québécoise qui s'est suicidée par pendaison le 24 septembre 2009.

supplémentaire pour mes vacances », on sait tous qu'il s'agit d'une métaphore, qu'il est impossible d'amonceler un petit tas de temps ! Il ne fait que passer, filer, courir, couler, galoper, dégringoler, s'écouler. Et, au bout du temps, c'est toujours lui qui gagne. Prendre de l'âge tout en en perdant est un rêve impossible. On pourrait songer à remplacer les formulations apocryphes comme « Quel âge avez-vous ? » par « Quel âge vous sentez-vous ? ». Imaginez sur un formulaire d'embauche une question sur votre âge ressenti ! Je ne vois rien de déshonorant à dire son âge, chronologique ou ressenti. J'estime le second, l'âge ressenti, bien plus conforme et bien mieux fondé.

* * *

À compter de maintenant, j'empoignerai le temps à pleines mains. Je ne renverrai pas à demain ce que je meurs d'envie de vivre maintenant. Pfft !... Demain, je ne serai peut-être même plus dans l'air du temps...

Pour terrasser un **b**lues de **b**aby-**b**oomeuse avec ses démons de la peur, je fouille dans mon tiroir des *b* et j'y trouve les verbes **b**ouger, **b**atifoler et **b**ouffer.

A) Je bouge. En plus des bienfaits pour le cœur et la taille, bouger a des effets antidépresseurs et stimule la libido.
B) Je batifole. Une vie sexuelle dynamique réduit de moitié les risques de crise cardiaque ou d'accident vasculaire cérébral. Pas de partenaire ? Un orgasme en solo vaut bien mieux qu'une frustration en duo. Et si les spasmes de l'orgasme réduisent l'inconfort menstruel, ils peuvent aussi, après la ménopause, augmenter le confort mensuel.
C) Je bouffe. On m'a convaincue qu'il ne fallait jamais manger à pleine satiété, alors je cesse quand j'ai encore une mini-faim. Cela améliore la santé, retarde le vieillissement et accroît l'espérance de vie. Surtout, vieillir léger, c'est comme voyager léger : plus agréable et plus confortable.

Secondairement, dormir un peu mais pas trop. J'aurai toute la mort pour me reposer. Prendre de la vitamine D l'hiver, faire travailler mes muscles, exercer mes neurones (comme en apprenant le serbo-croate) et utiliser la soie dentaire (contre les maladies du cœur). Et quoi encore ? Ne pas me laisser embrigader dans des écoles, des religions ou des sectes alimentaires, fussent-elles verdoyantes de thés exotiques, rougeoyantes de petits fruits, pétantes de montignaqueries et autres béliveauderies... Je serai capitaine de mon bateau et de mon assiette !

CHAPITRE 4

C'est pas parce que ça déride que c'est drôle !

Après le siècle des femmes ouvrières d'usine, voici le siècle des femmes usinées.

Il n'y a pas si longtemps, les femmes travaillaient dans les manufactures. À la sueur de leur front. Et de leur chair. Aujourd'hui, les femmes sont usinées. La chair des femmes est manufacturée. Manufacturer : faire subir à une matière première des transformations industrielles. Mettons d'entrée de jeu les choses bien claires : je ne suis pas contre la chirurgie esthétique*. Je suis pour les femmes, y compris celles qui s'y adonnent ou qui la subissent. Je parlerai de sa dérive parce qu'elle est au cœur des préoccupations des femmes auxquelles ce livre est destiné. Je veux ici formuler des réserves, poser des garde-fous, développer un sens critique, en cette époque où sa pratique est d'une incroyable banalité. On amène sa machine corporelle à la clinique esthétique comme on conduit sa voiture au garage : pour changer quelques pièces ou pour faire débosseler, *revamper*, repeindre, transformer sa carrosserie... La principale différence : à la clinique, on ne peut pas confier son véhicule au spécialiste et venir le chercher plus tard. La seconde : à moins de malhonnêteté, le garagiste ne remplace pas les pièces en bon état de fonctionnement.

---

* À l'exception de celles dont les modifications esthétiques sont de notoriété publique, je travestirai ici les noms des femmes connues qui y ont eu recours. Ceci, dans le but de ne pas froisser les susceptibilités, et surtout parce que l'objectif est de comprendre plutôt que d'opposer.

Et puis, on nous fait croire qu'elle est aussi anodine qu'une visite chez le coiffeur. Allons donc! Si mon coiffeur rate ma coupe de cheveux, un peu de patience et ce ne sera plus qu'un vilain souvenir. Si un plasticien me rate la tronche, je devrai espérer être plus belle dans une autre vie, cultiver ma beauté intérieure et m'exiler en Inde pour apprendre le détachement. Sans compter qu'il n'y a pas de risque pour ma santé physique, mentale, affective, sexuelle et identitaire à me faire faire un brushing... C'est sûr qu'à force de voir des bars offrir des augmentations mammaires comme prix de présence aux femmes et des émissions de télévision transformer des corps de femmes comme s'il s'agissait de marionnettes en pâte à modeler, on en vient à occulter la gravité et la portée de ces interventions.

On demande toujours aux femmes si elles sont pour ou contre la chirurgie esthétique. Et cela me gonfle! La belle affaire pour, encore une fois, les opposer. Comment dit-on, déjà? Diviser pour régner? La question n'est pas d'être pour ou contre. La question, préalable et fondamentale, qu'on escamote toujours, c'est: pourquoi?

Petite histoire piquante et coupante

C'est après la Seconde Guerre mondiale que la chirurgie réparatrice est devenue chirurgie plastique, puis chirurgie esthétique. La médecine esthétique est née plus récemment et couvre l'ensemble des interventions visant à améliorer ou à corriger le look corporel, sans anesthésie générale ni hospitalisation. Au Québec, en France et aux États-Unis, cette médecine est souvent pratiquée par les dermatologues[32] et par des médecins généralistes, et la hausse fulgurante de la demande pour ces services incite de nombreux praticiens inexpérimentés à investir ce lucratif champ d'exercice. Au Québec, le fouillis est tel qu'on ne dispose pas de chiffres fiables, représentatifs de la réalité, et la chirurgie privée se pratique « dans un flou juridique en constante évolution[33] ». Dans ce chaos et face à la croissance exponentielle de la demande, le Collège des médecins du Québec a décidé de formuler des recommandations qui seront, espérons-le, publiées lorsque vous lirez cet ouvrage. On peut supposer que la tendance québécoise suit celle du pays de l'Oncle Sam où « près de 11,5 millions d'interventions esthétiques ont été pratiquées en 2005, dont 91 % chez des femmes, soit une augmentation de 444 % depuis 1997[34] ». En tête de liste de toutes les interventions esthétiques, tant en Amérique qu'en Europe, sont les augmentations mammaires, les injections de Botox et les liposuccions abdominales. Partout en Occident, la plastie mammaire est la plus fréquente, alors que l'abdominoplastie a connu l'essor le plus foudroyant.

La fontaine de Jouvence s'est transformée en geyser de conformité, car ce sont les plus jeunes qui se ruent sur les remodelages esthétiques. En effet, toujours selon l'American Society for Aesthetic Plastic Surgery, « 72,5 % des interventions ont été pratiquées chez des moins de 50 ans[35] ». En France, il est aussi difficile de recenser le nombre précis de médecins exerçant dans le domaine de l'esthétique, car certains ne dispensent que quelques actes. De 2000 à 3000 praticiens français effectueraient des interventions esthétiques, mais seulement 80 médecins exerceraient une activité reconnue par le Conseil national de l'Ordre des médecins[36]. Au Québec en 2005, une centaine de médecins spécialistes pratiquaient la chirurgie plastique et esthétique[37]. C'est deux fois plus qu'en gériatrie et autant qu'en médecine d'urgence[38]. N'est-ce pas révélateur qu'à l'orée de ce « siècle des vieux », le grand monde médical se préoccupe deux fois plus d'enjoliver la vieillesse (et de la faire bander) que de la soigner ? Pas grave si les vieux sont malades et fous, pourvu qu'ils aient l'air jeune et beau et que les portefeuilles soient bien garnis. On ne sait à peu près rien des types de pratiques et de la proportion des différentes interventions. On ignore également l'importance des actes pratiqués dans le secteur privé québécois, qui ne sont pas pris en compte dans les statistiques de la Régie de l'assurance maladie du Québec (RAMQ).

La seringue est à la médecine esthétique ce que le bistouri est à la chirurgie. Selon l'Observatoire mondial de l'esthétique médicale[39], le marché planétaire de la beauté aurait augmenté de 457 % entre 1997 et 2007. Les injections, peelings et traitements au laser, plus souvent pratiqués sur des femmes dans la trentaine et la quarantaine, sont considérés comme des actes «plus légers». La médecine esthétique se présente comme le précieux chaînon entre le coiffeur et le chirurgien et fait sa promotion sur sa douceur, sa simplicité et sa banalité. La toxine botulique par exemple, médiatisée comme un vrai produit miracle, a réussi un vrai tour de force: elle a convaincu une grande partie des femmes de l'obligation d'effacer leurs rides, et les autres de se sentir coupables de ne pas le faire. Elle est pourtant loin d'être dénuée de risques physiques et elle conduit de plus en plus d'utilisatrices à une dépendance psychologique. N'obtenant jamais l'idéal rêvé, ces femmes sont entraînées dans un engrenage sans fin.

Fonctionnement et addiction

Les vertus *déridantes* de la toxine botulique ont été découvertes par hasard, en 1987, par un ophtalmologiste canadien qui essayait de corriger les spasmes musculaires des yeux d'une patiente qui allaient à hue et à dia. Cette toxine agit en paralysant les muscles qui, en cessant de se contracter en surface, résorbent les rides pour une durée de six à huit mois. La décontraction musculaire, en lissant illico le front, fait crier au miracle! J'ai entendu un réputé praticien de la médecine esthétique affirmer un jour, à la télévision, que «les injections de Botox *déprogramment* les muscles». *Déprogrammer*, quel euphémisme racoleur! Le mot *déprogrammer* est à la mode et fait croire qu'on inverse simplement un processus. Mais cela est faux. Le Botox ne déprogramme pas, il paralyse les muscles dont il supprime le mouvement. De son côté, la molécule d'acide hyaluronique (AH), qui est présente dans l'organisme et qui donne une peau de poupon, diminue avec l'âge. On utilise donc un produit de substitution fabriqué en laboratoire pour rembourrer les contours du visage, les rides du front ou les sillons nasogéniens (entre les ailes du nez à la bouche), et pour gonfler les pommettes. Là encore, après six ou huit mois, la face se dégonfle comme un ballon qui perd son air. Ces dernières années, l'AH a détrôné le collagène, plus allergène et d'un emploi plus délicat. Dans certains pays de l'Union européenne, des patientes ont recours au

New Fill (acide polylactique), un autre produit boursouflant utilisé en traumatologie faciale. Il agit comme le *lipofilling** qui permet une reconstruction faciale d'une durée de vie de une à trois années. La plupart des substances injectées étant résorbables, des retouches seront nécessaires environ aux trois semaines.

On n'a qu'à se promener dans Internet et à lire les commentaires des consommatrices pour se rendre compte que ces produits de comblement ne sont pas sans risques et qu'ils ne comblent jamais le mal de vivre. Pourquoi sur le Web et pas ailleurs ? Pourquoi les insatisfaites et les défigurées ne se plaignent-elles pas plus fort ? Parce que la Toile permet l'anonymat. Difficile de déplorer ouvertement des transformations qu'on a voulu, coûte que coûte, garder secrètes.

Je regarde avec délectation Béatrice Dupont à la télévision. Cette écrivaine est un monument. Un phare. Une précurseur. Une grande dame. Elle a été un modèle pour moi, pour les femmes de ce siècle. Tout l'Occident la vénère. Avec raison. Elle est incroyable, cette femme. Je connais toute son œuvre. Je l'admire. Je l'aime. À 80 ans, on dit qu'elle en fait 70. Moi, ce qui m'épate, c'est que ses attitudes et sa manière d'agir, de penser et de vivre sont sans âge. On dirait que l'âge n'existe pas pour elle. Elle bavarde franchement, sans fausse pudeur, de la liberté sexuelle absolue qui caractérise sa relation avec l'homme qui partage sa vie, de ses amants... J'applaudis sa marginalité, son audace, sa fougue, sa volonté de brasser la cage des bien-pensants et des béni-oui-oui... Mais... Elle est aussi un monument de contradictions. Plus soumise qu'elle aux diktats des stéréotypes culturels de beauté féminine, tu entres en religion et fais vœu d'obéissance. Elle a tant eu de liftings que ses yeux sont à la verticale plutôt qu'à l'horizontale. Si on jaunissait un peu son visage, elle aurait l'air d'une Asiatique un peu obèse aux yeux bien bridés. Elle est toute tractée. Je ne peux

* Réinjection de ses propres graisses, procédé très contesté et interdit dans plusieurs pays.

m'empêcher de me demander de quoi elle aurait l'air si elle n'avait pas subi toutes ces modifications. Serait-elle moins bien ? Peut-on ici parler de beauté quand un minois en est venu à ressembler à une figurine de porcelaine imitant le faciès humain ? Ou à un œuf sur le point de craquer ! Ou à un avatar ! Elle serait différente, c'est certain. Plus belle, peut-être, si ça se trouve. À une question de l'animateur, elle répond qu'elle a en ce moment un amant de 60 ans. L'entrevue se termine et Béatrice Dupont se lève et quitte le plateau. Malgré tous les efforts déployés et tous les sacrifices consentis, son corps tassé et sa démarche vacillante, la pesanteur de ses seins et la rondeur ancestrale de son ventre fatigué traduisent son âge. Cela m'émeut. Ça n'est ni laid ni repoussant. Son corps a un petit air délabré, mais bien vivant. Je trouve que l'ensemble de sa silhouette serait bien plus harmonieux si le visage allait avec le reste, car en ce moment je la regarde trottiner et on dirait qu'elle s'est fait implanter la tête de Toutankhamon. Il y a trop de cacophonie entre les différents segments de son corps et cette dissonance me semble indécente.

Comment s'installe l'addiction[40] ? Les substances infiltrantes n'agissant pas à la même cadence, la cliente est forcée de visiter régulièrement le cabinet du « magicien ». L'agenda des rendez-vous d'entretien rythme sa vie. Le médecin devient le guide, « celui qui sait », le coach de beauté. La femme entre dans une spirale où elle surveille inlassablement l'évolution de son visage au fil des soins. Une relation de confiance et de pouvoir s'établit. Elle est prise dans l'engrenage. Le regard du médecin est maître et il peut, selon son bon vouloir, encourager sa patiente à être plus belle encore en corrigeant des aspects de son visage auxquels elle n'aurait pas pensé. En bout de ligne, il la façonne selon ses critères à lui. Elle devient son œuvre d'art. À lui. « Venue pour satisfaire un désir, elle est renvoyée à un corps anatomique dont le médecin anticipe le vieillissement clinique. La médecine esthétique opère auprès de la cliente une modification mentale de l'image du visage l'obligeant à en envisager la dégradation. Le principal risque pour les patientes serait une atteinte à la santé physique et mentale[41]... »

N'empêche ! Avec des fronts tout lisses et des bajoues bien comblées, on a toujours l'air d'être fraîche, et on n'affiche jamais de visage de vieilles pommes pourries...

Nous terminions une éprouvante session de travail et nous étions toutes les cinq éreintées. Quatre jours d'un colloque international ne nous avaient pas laissées souffler. Du sérieux. Sur le sérieux sujet du VIH. Vous savez de quoi a l'air la bouille d'une femme de 50, 60 ans qui manque de sommeil, qui a mal mangé, qui ne traîne pas son coiffeur dans sa valise, qui a à peine eu le temps de se doucher, qui s'inquiète de son adolescente qu'elle n'a pas jointe sur son portable depuis deux jours... Sur la fin de notre repas de clôture, nous étions à nous lamenter de notre mine pitoyable et de notre humiliation à retrouver nos hommes, pour celles qui en avaient, dans cet état de délabrement, lorsque lâcha, le plus sérieusement du monde, la plus « granola » de l'équipe : « Nous ferions moins peur si nous étions passées sous le bistouri ou, à tout le moins, si nous nous faisions shooter au Botox et au collagène de temps à autre ! » « Très peu pour moi, répliqua une autre, toutes les piquées que je connais avouent qu'il est à peu près impossible de reculer, une fois qu'on a mis le bras dans le tordeur. » Au plus creux de notre déprime collective, Catherine, l'auteure-compositrice ratée du groupe, improvisa un show désopilant qu'elle rappa en se déhanchant entre les tables, sous le regard ahuri du serveur et des quelques convives qui sirotaient leur porto.

« Babines repulpées pour mieux aguicher
Yeux tout étirés pour aller danser
Gonflement mammaire pour la fête de Pierre
Grosse liposuccion pour séduire Gaston
Pommettes fracassantes autour de 40
Blanchiment anal pour le carnaval
Un point G jumbo pour mon Roméo
Un vagin d'enfer pour mon centenaire »

C'était son rap de l'infiltromaniaque. Son nouvel évangile selon saint Scalpel. De toute évidence, les spectateurs d'infortune l'ont crue complètement givrée, alors qu'elle n'était qu'incommensurablement soûlée de fatigue. Pauvre Catherine. Elle s'est bien chargée de nous dérider...

Outre l'accoutumance qui, comme certaines drogues, augmente avec la consommation, le risque majeur du Botox est de vider le visage de son expression et de paralyser certains muscles importants dans le regard et le sourire. En janvier 2010, Santé Canada[42] servait une sérieuse mise en garde à la population et aux professionnels de la santé : la monographie des produits du Botox fera désormais mention du risque de dispersion de la toxine dans d'autres parties du corps. Affaiblissement musculaire, problèmes de déglutition, pneumonie, troubles de la parole et difficultés respiratoires sont autant de conséquences possibles de la dispersion des toxines qui peut être mortelle. Le ministère avisait aussi les personnes utilisatrices de la toxine botulique qu'elles devaient consulter immédiatement un médecin en cas de difficulté à avaler, à parler ou à respirer. De plus, on ignore encore les conséquences à long terme de plusieurs produits d'infiltration. De nombreuses patientes souffrent de terribles migraines post-injection et on ne sait pas comment évoluera le visage, à force de remplissages et de gavages réguliers, sur une longue période.

Le journal *La Presse* relatait récemment l'histoire de Hang Mioku[43], accro à la chirurgie esthétique depuis 20 ans. Après avoir essuyé les refus des médecins d'intervenir sur un visage qui avait déjà subi trop d'opérations, elle s'est défigurée en s'injectant elle-même de la silicone et de l'huile de cuisine. Un cas extrême, il va sans dire. Mais quand même... On compte de 10 à 20 % des disciples des modifications esthétiques qui souffrent de ce nouveau TOC (trouble obsessionnel compulsif) postmoderne appelé dysmorphie corporelle ou dysmorphophobie, la peur irraisonnée d'être laide. C'est un chiffre énorme. La personne atteinte est obsédée par une imperfection, imaginaire ou très exagérée, qu'elle cherche à cacher à tout prix. « Elle adopte des comportements d'évitement qui entraînent très souvent un diagnostic erroné de phobie sociale, souligne Kieron O'Connor[44]. Dès qu'elle met le pied dans une clinique de chirurgie esthétique, c'est le désastre.» Jamais satisfaisante, l'opération devient un rituel qui renforce la névrose de la patiente. On estime que 30% des personnes qui composent la population en général sont complexées par une partie de leur corps.

Remplir le vide…?

La dépendance, c'est la recherche hors de soi de ce qui manque à l'intérieur. On tente de remplir son vide en comblant ses rides, en devenant autre, en changeant de corps. Parmi les facteurs sociaux d'influence, il y a la surexposition aux médias, l'idolâtrie du look jeunesse, l'identification aux stars ainsi que les progrès technologiques qui facilitent et banalisent les modifications esthétiques. Les femmes qui multiplient les chirurgies et qui s'adonnent frénétiquement aux séances d'entretien aux produits d'infiltration éprouvent des symptômes de sevrage similaires à ceux des toxicomanes.

Sans soins ou sans traitements offerts par des professionnels en santé mentale compétents, les dysmorphophobiques risquent de continuer jusque dans leurs derniers retranchements à tenter d'assouvir leur béance. Ce ne sont certainement pas les *psychiatres au couteau* qui, sous prétexte qu'ils posent deux ou trois questions à la patiente quant à ses motivations chirurgicales, peuvent prétendre les aider. À moins que le corps social ne passe lui-même par un bistouri transformateur de valeurs, cette néo-assuétude fera des petits. Et des petites. Avec l'âge, le corps s'éloignant du stéréotype de la nymphette aux seins-obus, il ne pourra en être autrement…

Les praticiens de la beauté ne sont ni psychiatres ni psychologues: ils ne détectent pas les troubles obsessionnels compulsifs. Pour le Dr Éric Bensimon, chirurgien esthétique, il n'y a pas de quoi fouetter son chat: «Par respect, dit-il, on ne questionne pas les clients sur leurs motivations. L'entrepreneur ne va pas demander à son client: "Pourquoi tu refais ta salle de bains?"[45]» Je rêve, ou quoi? Le célèbre plasticien met en parallèle le corps ou la tête d'un être humain et une cuvette de toilette !!! Je veux bien croire que les médecins-vendeurs de rajeunissement ne sont pas trop fins psychologues, mais, si la clinique de chirurgie esthétique évoque dans l'esprit de celui qui y pratique une boutique de latrines, j'estime qu'il faut s'inquiéter...

> *C'est fou comme tout tout tout est axé sur la beauté à tout prix. Au printemps 2009, je ne pouvais pas faire deux pas dans les rues de Paris sans tomber sur le magazine* Rajeunir. Rajeunir, *point. Sans même de point d'interrogation. Il était, littéralement, partout. En couverture, une nymphe blonde et dorée éclosant radieusement d'une feuille de chou, entourée de titres tous plus aguichants les uns que les autres. Et si c'était vrai ? Si on m'y apprenait que la fontaine de Jouvence existe vraiment ? Qu'on vient de la découvrir ? S'il y avait, dans ces pages, des propos plus lumineux, plus transcendants que ceux des Drs Bensimon de ce monde ? Ma candeur est sans limites, j'achète. Et me fais piéger, encore une fois, dans un miroir aux alouettes. Cent pages de produits, tous plus incertains, plus dispendieux, plus temporaires, et parfois plus fumistes les uns que les autres : les thermages, titans et machines à rajeunir, les anti-âges capillaires, les kits de longévité en crèmes et en fioles, les services de relookage, les huiles précieuses, les nouveaux yeux, les aiguilles rajeunissantes, les « life extensions », le dernier mange-graisse à la mode, le laser, la dermato-cosmétique, la Huber et la Wellbox pour perdre 10 ans en passant de votre salon à votre cuisine, le comprimé pour son érection, les spas ho ! de gamme et, en conclusion du magazine, quelques recettes de courge, gratuites (précise-t-on), pour la courge que je suis. Puis, ouf ! À la toute fin, cinq propositions pour chasser mon stress. L'inévitable stress causé par la lecture de cette feuille de chou pour la cruche que je suis !*

Pour le reste : on n'aspire pas une dépression en siphonnant le gras du ventre et on n'augmente pas l'estime de soi en accroissant la taille d'un soutien-gorge !

Chirurgie pathétique

Le prêchi-prêcha affirmant que le corps sujet doit s'effacer derrière le corps objet est bien pathétique. Pathétiques aussi, ces émissions de télévision comme *The Swan* (Fox) et *Extreme Makeover* (ABC) rediffusées au Québec, en Belgique (TF6) et en France (Téva) sous le titre *Relooking Extrême* et, dans une moindre mesure, S.O.S. *Beauté* (ancienne chaîne TQS au Québec). Elles encouragent la fièvre de la métamorphose et nourrissent la dysmorphophobie* des femmes insatiables qui sont prêtes à tout pour changer une partie, puis une autre, puis une autre encore, de leur visage ou de leur corps, et qui errent de praticien en praticien. Fascinée par ces émissions de « chirurgie-réalité », la téléspectatrice n'est plus devant un écran, elle est devant un rêve. Son rêve. Comme dans un vrai songe onirique, les défenses tombent et occultent toutes craintes de douleur et d'échec. Certaines en viennent à y voir une « solution incontournable[46] ».

La chirurgie esthétique ne recule devant rien pour se faire connaître, faire parler d'elle, se mettre en marché, se vendre : publicité, marketing, téléréalité... Son message : il serait fou de s'en passer. Dans nos contextes où culture et économie sont liées, la mise en marché suppose une mise en discours tant populaire que scientifique. Ainsi, les traités médicaux de chirurgie esthétique exposent les proportions idéales[47] du corps et du visage et proposent les interventions chirurgicales pour les réaliser. La cerise sur le *sundae* caramélisé de ce prospère plan de marketing, c'est qu'on lie inextricablement le physique et le psychique : « Si vous êtes plus belle et paraissez plus jeune, vous aurez une haute estime de vous-même et triompherez ! » En fait, la chirurgie pathétique nous persuade, à mots couverts, que les porteuses de visage parsemé d'histoire, d'années un peu trop nombreuses, de nez un peu trop long, de seins un peu trop discrets, de bedon un peu trop rond, de fesses un peu trop plates, de peau un peu trop vivante, sont louches et inquiétantes, au même titre que les criminels et les dégénérés.

* La maladie est répertoriée dans le sérieux *DSM-IV* (bible psychiatrique) sous l'appellation de *Body dysmorphic disorder*.

Il y a quelque chose de paradoxal dans le phénomène de la chirurgie esthétique. D'une même foulée, on l'étale et on la dissimule. Au Québec, on en parle publiquement au moment d'une tragédie, lorsqu'une personne connue y laisse la peau qu'elle voulait faire revamper. Ce fut le cas de Micheline Charest, cette riche femme d'affaires qui, à 51 ans, était en pleine forme lorsque l'irréparable s'est produit. Toute la population a attendu avec fébrilité les résultats de l'autopsie, les explications des événements. Était-ce si important de connaître les causes précises de ce décès ? Derrière la mécanique chirurgicale qui s'est enrayée, il faut retenir qu'elle est morte d'une overdose de désir et d'ambition. Ambition de jeunesse et de beauté qu'elle croyait avoir les moyens de se payer. « Elle n'aura pas réussi à éloigner les démons de l'âge et de l'apparence. C'est une peur que toutes les femmes connaissent à un moment donné ou à un autre de leur vie... Une peur avec laquelle certaines arrivent à faire la paix, d'autres pas », avait sensiblement écrit Lise Payette[48]. La femme d'affaires n'était certes pas prête à payer de sa vie pour rester dans le coup. Elle n'a jamais pensé une seule seconde, en ce fameux mercredi 14 avril 2004, que le scalpel allait trancher dans le ruban de son existence. Elle ne s'est jamais doutée que sa triple chirurgie ferait les choux gras du pays pendant de nombreuses semaines. Bien sûr, on ne claironne pas aussi bruyamment sur la place publique tous les décès, accidents et séquelles chirurgicales subis par les innombrables victimes de la chirurgie du désir. À peu près à la même période, je me souviens d'une jeune femme de 32 ans, morte pendant une « banale » opération de liposuccion abdominale. Le « fait divers » était glissé dans un entrefilet où on avait écrit que l'omnipraticienne qui avait pratiqué l'intervention se présentait comme une « chirurgienne cosmétique ». Ces jours-ci (le 29 novembre 2009) est décédée Miss Argentine 1994, Solange Magnano, des suites d'une glutéoplastie, chirurgie consistant à se faire regalber et rebondir le popotin en y implantant des prothèses. Une opération de plus en plus fréquente chez les femmes et très populaire en Amérique latine. Si Marie-Claude Lortie[49] n'en avait pas fait une chronique, la mort de cette beauté de 38 ans serait passée inaperçue au Québec.

Fatals ou non, on parle peu des accidents chirurgicaux. Le cas d'une femme de 24 ans, décédée pendant une courante rhinoplastie dans une clinique montréalaise, faisait partie des faits divers il n'y a pas si longtemps. Ses poumons ont éclaté et ont écrasé son cœur lors d'une mauvaise gestion de l'anesthésie. On n'ébruite pas davantage les ratages et insatisfactions qui en découlent. Rares sont les patientes insatisfaites qui se plaignent. « Les patients se sentent coupables, ils ne veulent pas publiciser leur opération et se résignent[50] », indique l'avocat Jean-Pierre Ménard, spécialiste en responsabilité médicale. De 2001 à 2009, seulement 146 plaintes ont été formulées au Collège des médecins du Québec, mais c'est un chiffre infinitésimal, bien loin de la réalité. Selon un récent sondage, 75 % des Canadiens recourant à la chirurgie esthétique ne font aucune recherche préliminaire et les femmes débarquent en clinique comme dans un salon de beauté. Le Dr Yvan Larocque, président de la Société canadienne de chirurgie plastique esthétique, reconnaît qu'il y a beaucoup d'éducation à faire[51]. « Aucune chirurgie n'est parfaite et sans risques, et si l'intervention est faite dans les règles de l'art, il est difficile de revenir contre son médecin. »

Aucune transformation esthétique ne peut inoculer le bien-être. J'ai mis du temps à comprendre qu'être bien dans sa peau et dans sa vie, c'est être en action. Être en route vers plus de confiance, plus de bonheur, plus d'amour, c'est ce qui aide à s'aimer, à se trouver belle. En route, oui… Là aussi, j'ai été lente à saisir que ce qui importe, c'est d'être en mouvement. Le bonheur, l'amour, si c'était la quête d'une vie ? Un processus plutôt qu'une fin ? La vie et la beauté sont dans le mouvement, pas dans l'inertie. Ça me semble maintenant si évident. Évident… à condition de ne pas se laisser jeter de la poudre aux yeux. Cette conviction s'est raffermie après mon incursion dans la vallée des monstres de beauté et m'a retenue d'aller me faire recarrosser la charpente et déparcheminer le bobinot. Lorsque je me regarde dans mon miroir, alors que je viens d'accomplir un travail qui me rend heureuse, ou que je me suis dépassée dans une activité, ou que j'ai réalisé un objectif dont je suis fière, je me trouve immanquablement rayonnante. Il y a dans ces instants-là de la lumière dans mon visage, de l'or autour de mes yeux, un allant dans mon corps, une sorte de légèreté. Alors, je suis belle, avec tout ce que je suis. Pas besoin de grimper le Machu Picchu : une soirée bien menée, un repas apprécié, un travail bien fait, une lecture qui fait rêver, un geste affectueux, une marque de reconnaissance, un objectif atteint, une petite bataille gagnée, un vrai bon moment de partage avec une personne enthousiasmante, et je resplendis ! Le bonheur nous embellit. Vraiment. Il ne s'agit pas là d'une impression. À preuve, les réactions et commentaires autour de soi. En fait, tout se tient, tout est en lien : le besoin d'être aimée et d'aimer, la perception du corps et de la beauté, l'attrait des transformations esthétiques, la peur de vieillir. Les spécialistes du bonheur affirment que nous y sommes, que nous nageons dedans lorsque nous sommes concentrées dans une activité qui nous passionne. L'estime de soi, le sentiment de sa valeur, la joie, l'amour de la vie et la satisfaction chassent la peur qui rend laide et indésirable. Se sentir belle et accueillie renforce le sentiment de sa valeur et le goût de vivre. C'est la poule et l'œuf. Ou la théorie des vases communicants.

J'ai une amie, mi-cinquantaine, qui a été une très belle femme. Je ne peux pas écrire « qui est », car j'avoue ne plus trop savoir qui est ce corps et si la femme que j'ai connue est toujours dedans ! Elle s'est fait refaire le nez, puis les seins il y a plusieurs années. Ensuite, autour de 40 ans, les paupières, maquillage permanent et début de rembourrage des lèvres. Ces dernières années, redrapage des seins, remodelage de l'ovale du visage et liposuccion cuisses / ventre. Elle s'entretient au Botox. Un jour que nous nous dévêtions côte à côte pour enfiler nos maillots de bain, elle me demanda : « Tu peux me dire ce que tu penses de mes seins ? J'ai l'impression qu'un de mes mamelons louche un peu ! » Je n'avais pas vu son corps nu, en pied, depuis le nudisme de nos 20 ans, et je fus déconcertée : visage statique de 45 ans, cou de 60, nichons d'une grosse fille de 20 ans, enceinte, ventre de son âge, peau des mains de 75 ans (c'est une vraie rousse)… Qu'est-ce que ce raboutage, ce corps sans fil rouge, cacophonique et fractionné ?

Son corps me rappelait celui des femmes que j'avais vues à la plage lors de mes dernières vacances au bord de la mer. Les différentes parties de leur anatomie semblaient en chicane les unes avec les autres. Des corps patchwork, comme des canevas sur lesquels on aurait repiqué çà et là des morceaux de tissu neuf. Peut-être mon amie était-elle autant déroutée par mon corps d'origine que moi je l'étais par sa mosaïque corporelle ? Je n'en sais rien. Je sais juste qu'en me voyant nue dans la glace, je me réconciliai avec le mien. Il est vrai que certaines sections de son anatomie étaient bien plus pimpantes. Mais l'harmonie d'ensemble du mien m'égaya.

Une sacrée grosse machine !

Pour imiter la Chine avec sa Miss Renzao Menu[52], la Hongrie inaugurait en 2009 son concours Miss Plastic Hungary. Critère premier d'admissibilité : avoir subi au moins une chirurgie esthétique. Parmi plusieurs centaines de femmes postfabriquées ayant exhibé leurs multiples transformations, la gagnante, une bombe refaite de 22 ans, mesurait 1 m 70 et pesait 46 kilos. À part servir la publicité et l'économie de la chirurgie esthétique, je ne vois pas à quoi peuvent servir ces concours ! De son côté, la République tchèque offre un « boni-chirurgie plastique » de leur choix aux infirmières qu'elle recrute. La folie de transformation ensorcelle des femmes qui vont jusqu'à mendier leurs faux seins[53]. À ce jour, 200 000 donateurs auraient ainsi payé de nouveaux lolos à 500 femmes. En échange, les *bienfaiteurs* clavardent avec « leurs » implantées et reçoivent une photo de leurs « investissements » dans la silicone ou dans le salin. Se quêter des nichons ! Il faut être gravement atteinte ! Depuis peu, on propose, à Montréal, un *lipo-lunch*[54]. Non ! Non ! Rassurez-vous, on ne vous fait pas bouffer votre gras ! (sait-on jamais ce qu'on peut offrir aux femmes ?), mais on extermine vos cellules adipeuses au laser pendant que vous avalez votre sandwich à l'heure du lunch ! La patiente regagne gentiment son travail tout de suite après. Une nouvelle technologie qui n'a pas encore fait ses preuves.

Chirurgie et médecine esthétiques sont en plein big-bang... Partout, en Europe, dans les Amériques, en Asie, en Afrique du Nord, en Australie, les praticiens déploient leur arsenal : instruments, scalpels et bistouris, produits infiltrants et rayons laser, suscitant un engouement délirant chez les affamées de jeunesse éternelle. Toujours associés à la vitalité, au plaisir, au bonheur, au succès et au sexe, leurs services sont commercialisés comme n'importe quelle vulgaire marchandise. « Un spécial trio (seins, ventre et flancs pour le prix de deux) ? » On vous demande si vous prendrez une petite blépharoplastie avec votre liposuccion, comme si on vous proposait le dessert après le plat de résistance ! On se croirait chez McDo ! De la même façon qu'on trouve aujourd'hui de grandes surfaces de jouets érotiques, on verra bientôt des chaînes de cliniques esthétiques faire scintiller, sur les enseignes lumineuses des autoroutes, leurs milliardièmes mamelons repositionnés, ou encore une star vantant dans une pub télé sa récente amplification clitoridienne (reste à voir si elle ira jusqu'à nous la montrer...). Quant aux agences de voyage, certaines invitent déjà à des forfaits-vacances de métamorphose corporelle. On y voit le plus souvent une *chick* siliconée, fraîchement remodelée, se faire dorer les montgolfières (malgré le soleil proscrit en de telles circonstances) à un jet de pierre d'un village crevant de pauvreté.

À 35 ans, Marie-Claude a subi une abdominoplastie et un lifting des cuisses après avoir perdu beaucoup de poids[55]. Trois ans plus tard, elle n'a aucune sensation depuis le nombril jusqu'au pubis. « C'est engourdi et je ne sens ni la chaleur ni le froid. » Des complications graves surviennent effectivement dans 1 cas sur 298, et 1 personne sur 51 459 meurt des suites d'une chirurgie esthétique, indique une étude publiée en 2004 dans le journal de l'American Society of Plastic Surgeons. Et dire que certaines personnes refusent les vaccins parce qu'il y a un risque sur un million de contracter le syndrome de Guillain-Barré !

En France, on a établi que 7 % des chirurgies esthétiques les plus populaires, telles l'augmentation mammaire et la liposuccion, présentent des complications. 7 %, c'est énorme ! La publicité n'est pas contrôlée, les risques ne sont pas exposés, et il y a beaucoup d'abus de confiance. Certains traitements, comme le transfert de gras, sont expérimentaux et non approuvés. Dans ce pays aussi, de plus en plus de médecins généralistes pratiquent la chirurgie esthétique. « La liposuccion est particulièrement populaire auprès d'eux, parce que c'est une technique peu invasive, mais elle comporte des risques sérieux », indique le Dr Éric Bensimon, porte-parole de l'Association des spécialistes en chirurgie plastique et esthétique du Québec. À l'heure actuelle, on ne connaît ni le nombre de médecins pratiquant la chirurgie esthétique ni le nombre d'interventions effectuées par année, et il n'y a aucun processus pour rapporter les bavures. « Ce qu'on entend, ce n'est que la pointe de l'iceberg, résume Me Jean-Pierre Ménard. C'est le far west[56]. »

Toute cette confusion, ajoutée à la propagande et au tabou du silence, enveloppe la question d'un épais mystère. On ne sait plus comment l'aborder. On devient frileux et poltron. Il y a deux ou trois ans, je me suis fait quelques ennemies pour avoir exprimé une opinion tranchée sur le sujet à la défunte émission de Marie-France Bazzo, *Il va y avoir du sport*. Certaines ont interprété que j'étais contre les femmes recourant à la chirurgie esthétique. Je sais bien que pour une femme médiatisée — comédienne, journaliste, chanteuse, animatrice, politicienne, actrice — vieillir en public est terrible.

Scalpel sexiste et âgiste

Peut-on imaginer Patrice Roy[57] déclarant, au moment de prendre les rênes de son bulletin de nouvelles : « J'espère pouvoir vieillir en paix sans être obligé de me faire remonter le visage, même si on est en HD. » Non, évidemment. C'est pourtant ce que Céline Galipeau[58] a déclaré la veille de son arrivée à la barre du *Téléjournal* de fin de soirée. J'espère bien, pour elle et pour nous toutes, qu'elle ne sera pas forcée de faire les frais de ce double standard. Et de cette double contrainte car, ne nous méprenons pas, pour les femmes, la double contrainte majore le double standard. Quand la femme médiatisée se montre au naturel, avec ses pattes d'oie et ses lèvres amincies, ça rouspète : « Mon Dieu ! Comme elle a vieilli !!! » Et si elle se réincarne par l'opération du bistouri, ça réagit encore plus fort devant les écrans : « Mon Dieu ! Qu'est-ce qu'elle a fait à son visage !!! » De quoi, vraiment, devenir schizo. Je demande aux décideurs du monde des médias de cesser d'exercer des pressions pour expédier les femmes sur le billard chirurgical, nous privant ainsi de l'intelligence émotionnelle lisible sur leur visage.

Il est bien plus éprouvant de vieillir pour les femmes d'aujourd'hui que ce ne le fut pour nos mères et nos grands-mères. Malgré ses recours manifestes aux interventions esthétiques, on n'a qu'à voir le traitement réservé à Hillary Rodham Clinton lors de sa course à la direction du Parti démocrate américain. Des langues de vipère ont vomi leur refus d'être gouvernées par ce visage froissé et leur haut-le-cœur de voir ses traits se défaire au jour le jour, publiquement, si elle était élue. Quelqu'un s'est-il déjà senti outragé par la figure creusée de Bill, qu'on a vu se pocher et goder sous les réflecteurs au fil des ans… ? Au Québec, on n'a pas hésité à qualifier Pauline Marois de « poussiéreuse » lors de sa première tentative pour diriger le Parti québécois et devenir première ministre. Louise Harel a goûté à la même médecine de dinosaure quand elle a brigué la mairie de Montréal. Les hommes publics ou politiques du même âge sont presque toujours considérés comme « encore jeunes », « énergiques » et « capables ». Tout au plus ironisera-t-on un peu sur leur brioche ou sur leur penchant pour le Viagra.

Prenons Berlusconi, le président italien momifié. On louange presque ses frasques sexuelles limite pédophiles. Pierre Foglia[59] a écrit que « là-bas, il s'en trouve beaucoup pour le trouver admirable d'éjaculer à son âge… ». J'ai trop ri. Où donc le célèbre chroniqueur est-il allé chercher que ce vieil « embaumé vivant » éjacule encore ? Si ses génitoires sont aussi plastifiés et figés que sa face, ça ne doit pas s'émouvoir fort fort de ce côté. Les partouzes avec des lolitas n'agissent pas sur l'éjaculation comme la pastille bleue sur la bandaison, et le fait d'être riche, d'avoir du pouvoir et d'être Italien n'y change rien… Que dirait-on d'Angela Merkel si elle se mettait à rouler des mécaniques dans ses réceptions où fourmilleraient des éphèbes impatients et présomptueux ? Pensez-vous qu'on saluerait la *femme-couguar** en elle ? Qu'elle resterait longtemps au pouvoir ? Que les Allemands continueraient de la préférer et de l'encenser ?

Il y a le sexisme. Il y a l'âgisme. Il y a la double gifle du *sexisme âgiste* qui se répercute et qui est répercuté dans toutes les sphères actuelles. Très souvent, hélas, par les femmes elles-mêmes. La peintre Corno[60] clamait dernièrement : « Moi, dessiner du monde vieux et pas beau, ça ne me tente pas. » Que l'artiste peigne qui elle veut et ce qu'elle veut, en toute liberté, on est d'accord là-dessus. Mais, de grâce, qu'elle nous épargne ses truismes ! C'est son droit fondamental de répéter sur ses canevas tous les clichés *girl power* du monde, mais qui est-elle pour statuer d'une adéquation entre la laideur et l'âge ? D'ailleurs, elle n'est pas très jeune elle-même et n'est pas si laide, me semble-t-il...

Un samedi de mai que je macérais dans la fainéantise, de sympathiques voix radiophoniques accrochèrent mes neurones ramollis. Vous avez dû remarquer, depuis 114 pages que je m'immisce dans ce livre, que je suis une incurable télé-radiophage. C'était Geneviève Saint-Germain[61], féministe notoire, qui, jubilatoire, s'entretenait avec l'écrivaine Benoîte Groult. D'une même lancée, Mme Saint-Germain défendait le droit des femmes de se distinguer et de cultiver leur unicité tout en se réjouissant : « Vive le lifting, si les rides nous empêchent d'aller de l'avant ! » Il est vrai qu'elle bavardait avec une égérie moult fois retendue, à l'œil fixe, identique à celui de toutes les vieilles rajeunies de la planète... « Pourquoi donc les rides nous empêcheraient-elles d'aller de l'avant ? » me suis-je demandé à voix haute. Quel bonheur cela aurait été d'entendre Mme Groult développer sur cette question qui ne vint pas. Je suis bien d'accord avec l'idée que l'on puisse être à

* Expression nouvelle pour définir les femmes mûres qui aiment les jeunes hommes.

la fois féministe, sexy et élégante. Je crois même qu'on peut être féministe, sexy, élégante, avoir plus de 50 ans et ne pas avoir été retouchée ! L'idée que les traces de vie sont un repoussoir infaillible et un frein à la créativité et à l'action est une insulte à l'intelligence et à la sensibilité des hommes comme des femmes. Benoîte Groult est incontestablement une belle femme de plus de 80 ans, extraordinaire, féconde, prolifique et d'une rare valeur. Elle le serait tout autant si elle ne s'était pas fait traficoter le visage. Elle serait différente, moins similaire aux vieilles fausses jeunes, mais je suis loin d'être certaine qu'elle serait moins belle. Et cette éventualité n'aurait assurément rien changé aux nombreuses aventures et liaisons extraconjugales de son mari. Aux siennes non plus, d'ailleurs, j'en suis certaine. On ne me fera pas croire que c'est l'immobilité de son visage qui a pu la rendre plus craquante aux yeux de ses amants !

Microsoleils de l'émotion

La découverte des neurones miroirs est d'une importance capitale dans la compréhension des ravages relationnels que peuvent causer les interventions esthétiques qui, sous prétexte de rajeunir, brisent ou paralysent les muscles. Dans le cerveau de la personne au visage pétrifié par ces intrusions, les petites lumières* ont beau s'allumer, et la commande de transmission être sollicitée, le visage reste vide de toute résonance émotionnelle. La personne à la face remodelée pourra être sincèrement émue avec l'autre, son visage ne traduira pas son émotion. Voilà une perte inestimable pour les relations humaines, affectives, amoureuses, érotiques... À la télé, dans les médias et les milieux *glamour*, nous voyons de plus en plus de ces visages que j'appelle « visages autistes », parce que les émotions ne s'y transcrivent plus. Un nombre impressionnant de stars, de vedettes et de femmes médiatisées présentent désormais cette physionomie. Plus rien n'est décodable, émotionnellement, sur le masque. Je regardais hier une diva interviewée dans une émission extrêmement

* Voir le chapitre 2, « Des microsoleils de beauté », page 58.

populaire. Excellente entrevue sur le plan des contenus ; parfait flop quant au registre émotionnel. Son visage était si purgé d'émois qu'elle avait beau s'ouvrir à l'animateur, se livrer, disserter, sincèrement j'en suis certaine, de ses joies, désillusions, querelles amicales et raccommodements, toute la rencontre entre elle et l'intervieweur, entre elle et les autres invités, entre elle et nous à la maison, restait froide et purement intellectuelle. C'était tout de même un bon moment de télé : nous avons entendu des mots et appris des choses. Par contre, si on avait perçu les états d'âme cachés derrière les mots, si on avait senti les émois dissimulés derrière les faits, cela aurait été un grand moment de télévision. La rencontre aurait eu lieu. En bref : sans va-et-vient des neurones miroirs, sans résonance, pas de mise au diapason.

Je viens de voir un vieux film avec Jacqueline Morno et ça me ramène à Béatrice Dupont. Son extraordinaire pouvoir d'attraction réside, à mon avis, dans l'énergie, l'audace, l'aplomb et le charisme qui l'animent. Je crois sincèrement qu'elle serait aussi formidable, et plus belle, sans toutes ces « améliorations » qu'elle s'est imposées. Je doute que le fait d'avoir un visage encaustiqué, qui ne bouge presque plus, la rende plus séduisante. Selon moi, le principal résultat de toutes ces invasions chirurgicales et cosmétiques est que son visage est maintenant d'une banalité sans nom, semblable à celui de toutes les femmes de son âge passées sous le bistouri. C'est en cela que je trouve pathétique, vulgaire et mortuaire la chirurgie esthétique. D'ailleurs, ses traits remodelés rappellent terriblement ceux de Jacqueline Morno, cette immense actrice française sensiblement du même âge. Jamais je n'aurais pu, il y a 30 ans, relever la moindre ressemblance physique entre ces deux monuments. Maintenant, si. À une nuance près : je ne sais trop si c'est parce qu'elle est moins potelée ou en raison de son type de peau, on dirait que le squelette facial de l'actrice est sur le point de lui percer la peau. Elle fait peur.

Tiens, parlant de cette grandiose actrice, laissez-moi vous raconter… L'autre jour, un passionné de synergologie[62] *nous convia à un petit jeu. Dans mon salon, il nous invita à visualiser, sans le son, une courte vidéo de cette grande dame et nous demanda ensuite de dire quelles émotions elle exprimait dans le court segment de cet entretien. Sur la dizaine de joueurs participants, neuf jurèrent qu'elle manifestait de la colère ou de la rage. Alors, il mit le son et nous permit d'entendre l'actrice jubiler et raconter combien elle était sereine et contente. Ça m'a jetée par terre. J'avais bien remarqué déjà que tout son visage était peu mobile, peu inspirant, avait quelque chose d'immuable et de statufié. Mais j'ignorais que les micromouvements du visage (ou plutôt, dans ce cas-ci, l'absence de micromouvements) dénaturaient à ce point les émotions. La jeune femme de notre groupe qui avait bien décodé son message joyeux et serein n'avait en réalité rien décrypté du tout: elle savait lire sur les lèvres.*

Un professeur de LSF[63] (langue des signes français) m'a raconté qu'il est difficile, voire impossible, pour une personne sourde de comprendre pleinement les propos d'une personne liftée et botoxée, même si celle-ci maîtrise parfaitement la langue des signes. L'inverse est aussi vrai: l'individu au visage tout reconfiguré ne peut communiquer avec une efficacité maximale en langue des signes. Pourquoi donc, direz-vous, puisque la langue des signes se parle avec les mains? Eh bien, parce que ce sont les mimiques faciales qui permettent de saisir le sens précis du dessin de la main. Chaque mimique, tous les micromouvements des yeux, des sourcils, des paupières, de la bouche et même des joues renseignent et insufflent du sens (taille, durée, vitesse, quantité, qualité, interrogation, négation, affirmation, exclamation, état d'esprit, ironie, colère, doute, joie, etc.) au geste de la main. C'est toujours l'expression du visage et sa mobilité qui permettent de saisir la signification précise d'un signe.

Nous sommes à quelques semaines de Noël lorsque j'écris ces lignes et on sait que le nombre des interventions esthétiques de type Botox augmente à cette période de l'année. On veut être aussi lisse qu'un petit Jésus de cire dans nos paillettes des fêtes, quitte à se retrouver après, comme lui il y a 2000 ans, le cul sur la paille. Pour être au mieux, on est prêtes à faire arroser au Botox *glue* la quarantaine de muscles qui actionnent les rides d'expression. Pensons-y! Sans messages expressifs limpides, il risque d'y avoir de sacrés malentendus aux réveillons! On a mis des années à se défaire de préjugés débiles et sexistes, comme celui, inusable, qui laissait croire que, chez les femmes, un *non* voulait dire un *oui*, et que, finalement, ou bien elles ne savaient jamais vraiment ce qu'elles voulaient, ou bien elles le savaient mais étaient incapables de l'affirmer. Avec la catalepsie faciale et le trou noir émotionnel des visages modernes, la femme se met, de son plein gré (enfin... peut-être pas si plein que ça, le gré), dans une situation bien pire encore. Qu'elle dise oui, non, peut-être, un peu, beaucoup, passionnément, à la folie, jamais ou pas du tout, son visage dit toujours la même chose: rien.

Bistouri pornographique

La chirurgie esthétique calque le modèle pornographique. Celle-ci coupe le corps comme un saucisson, en petites rondelles génitales, alors que celle-là le découpe et y plaque, ici et là, de petites darnes de jouvence.

Pourquoi la chirurgie esthétique nous fait-elle tant envie? Pourquoi nous aspire-t-elle? Par manque d'estime de soi? De fierté d'être qui on est et comme on est? Par détestation de soi-même? Chose certaine, la pression ambiante fait bien son boulot. Mais, est-ce vraiment à cause de ces kilos superflus, de ce nez insolent, de ces rides bavardes ou de ces seins ouateux que nous manquons de fierté? Un ver d'oreille nous fredonne constamment qu'on est trop ceci ou pas assez cela. Il nous pousse à nous déprécier, à nous comparer aux stars remodelées plutôt qu'à aimer notre singularité et notre unicité.

Michelle est une femme grandiose, ventripotente et spongieuse qui m'a appris, quand j'étais une trentenaire hyperactive, à me calmer le pompon, en m'initiant à la méditation. Dans sa salle d'attente qu'elle appelait «salle de détente», un tableau la représentait nue, grandeur nature. Aussi étonnant qu'il puisse être de trouver ce nu en ces lieux, il ne s'en dégageait rien de choquant ni d'impudique. Au contraire, on s'y plongeait comme dans la contemplation d'un paysage bucolique, apaisant. Lorsque je lui demandai sans ambages le comment et le pourquoi de cette fresque audacieuse à cet endroit, elle me répondit sans me répondre : « Je me regarde souvent, nue devant ma glace en pied. Je sais que je suis grosse, je me vois comme je suis : grosse et belle. Je me scrute, de plus près, d'encore plus près, pour mieux me posséder. Je ne fais jamais l'amour la lumière éteinte. Et je laisse mes amants – elle n'en manquait pas – me contempler. » Je compris que ce tableau n'était pas un nu. C'était un tableau sur la satisfaction et la joie d'être soi-même.

Le déficit d'estime personnelle ne vient pas d'une grande bouche ou d'un large bassin. Le manque de fierté vient d'une bouche trop grande ou d'un bassin trop large en comparaison avec un archétype imposé et monolithique qu'on convoite et qui empêche de s'accepter. La chirurgie esthétique calque la pornographie, alors que, comiquement, cette dernière a des prétentions esthétiques. Les deux s'enfoncent dans la chair humaine. Elles font bon ménage en boudinant une femelle chimérique aux méganichons et à la minivulve, et un supermâle à la trompe éléphantesque et aux muscles de plastique. En lieu et place de la tête, des pois chiches. Tel est le corps pornographié. Le tandem esthético-porno est si efficace que de plus en plus de femmes, guidées par leurs sœurs du X, se précipitent chez le plasticien comme des prisonnières vers une fenêtre ouverte. Persuadées que c'est le prix à payer pour rester bandantes et consommables, elles s'allongent sur le billard pour gagner le droit de s'admirer ensuite dans la pupille du mâle adorateur et de s'allonger sur sa paillasse... Sont-elles ensuite plus attirantes et convoitées ? Ce serait à ceux pour qui elles s'imposent tout cela de le dire. Pour certains hommes contaminés par la pornographie à l'adolescence, alors qu'ils étaient malléables comme de la cire chaude, sans doute que oui. Mais, tous les jours, je suis témoin qu'ils sont nombreux à ne pas s'émouvoir davantage, plusieurs à ne pas s'émouvoir du tout, à ne pas bander mieux devant une femme remplie de toutes sortes de substances autres que les fluides corporels. Je ne suis pas la seule à recevoir leurs témoignages qu'on trouve aisément sur le Net. En voici un, glané au hasard: «Des poupées en plastique, bien huilées, dépoilées, gonflées, souvent pas de fesse ni de hanche… même pas des vraies femmes encore… […] Je vais vous faire une confidence: ça me fait pas bander. À commencer par ma tête… rien… pantoute… Le message passe pas[64]… »

Depuis quelques années, l'augmentation du nombre des chirurgies de rénovation génitale féminine illustre mieux que tout cette fraternité esthético-pornographique. La vaginoplastie est une tendance qui a le vent dans les muqueuses. C'est la Société américaine de chirurgie plastique qui l'affirme. La dame apporte une photo de son «vagin de rêve» au magicien vénérien qui lancera le chantier. Il sculptera la matière, modifiera la zone périnéale en l'infantilisant, rétrécira l'entrée du vagin, rénovera le pourtour des lèvres génitales, resserrera l'écrin de velours au laser… Puis il contemplera sa caverne d'Ali Baba, exécutée selon ses recommandations à elle et ses fantasmes à lui. Si elle ambitionne, à 50 ans, de jouer les vierges effarouchées, et si le maestro au scalpel ne se laisse pas trop étouffer par des principes éthiques, il pourrait même lui reconstruire une virginité.

Les demandes des femmes s'inspirent du lèche-vitrine porno, que dis-je, du lèche-écran porno. Le magasinage est complété en feuilletant les catalogues de quincaillerie vulvo-vaginale dans le bureau des praticiens du cul*. Les promoteurs et marchands de seins, de chattes et de fessiers tout neufs n'hésitent pas à promettre des escapades au septième ciel. On sous-entend que vagin étroit et pénétration assurent des orgasmes foudroyants, alors que cette combinaison sert d'abord la jouissance masculine par le frottement du gland contre les parois glissantes et resserrées du vagin. À condition que ce soit un vrai gland, bien sûr! On distille çà et là des faussetés. On tait les

* Qu'on ne vienne pas me dire que les praticiens du cul sont les sexologues.

dangers, importants, de dommages aux nerfs, la structure clitoridienne étant plus interne qu'externe. On n'insiste pas sur les problèmes de guérison, la cicatrisation délicate et les complications possibles. Les fragiles muqueuses génitales ne guérissent pas comme la peau d'un bras. Finalement, le risque majeur est de se retrouver avec une diminution de sensibilité plutôt qu'avec une augmentation des sensations sexuelles. De nombreux médecins s'en contrefichent. De nombreuses femmes aussi, hélas, qui préfèrent feindre le plaisir avec une vulve à faire saliver les pédophiles.

Ajoutons à cela le fait que nos sociétés nourrissent chez les femmes, par le silence et par l'absence d'éducation sexuelle et corporelle limpide et saine, une perception négative de leur sexe, et nous voici devant une génitalité perçue comme un cloaque, puant, laid et sale, qu'il ne faut pas hésiter à aseptiser, à moderniser, à enjoliver, à rendre conforme, à mater et... à corriger. Surtout s'il a pris de l'âge. Ou du *lousse** après une grossesse!

Quoi de neuf sous les cocos?

En raison de leur situation financière, les femmes vintage sont parmi les cibles privilégiées des nouvelles industries du safari-scalpel: «Venez vous faire refaire une jeunesse et une beauté à l'étranger!» L'appât est scintillant, fruité, ensoleillé, sablonneux. On fait miroiter un monde féerique où l'opération chirurgicale devient un cocon d'ouate tropical. Les *poissonnes* rivalisent pour avaler le leurre et son hameçon. Avec le forfait hôtel / voyage inclus, la chirurgie semble gratuite. C'est bien là qu'une foule d'alarmes devraient modérer les transports: pays étranger, hospitalisation, complications médicales, responsabilité professionnelle, frais imprévisibles, dangers d'erreurs médicales, suivi déficient, compétences professionnelles douteuses, code de déontologie vague, vérification insuffisante des antécédents médicaux... Tout devrait nous dicter la prudence et la méfiance, et pourtant ce genre de promotion gagne en popularité.

* Lâche, relâché.

La clientèle « dame riche », attrapée par les concessionnaires de forfaits-jouvence, flotte dans la pensée magique, bien plus préoccupée par des questions plastiques et artificielles que par des questions de santé et de déontologie. Est-ce prudent de confier sa vie à un praticien d'un lointain pays pour une lubie de rajeunissement miraculeux ? Pour un délire de conformité à un cliché ? Il se trouve certes des praticiens compétents pour travailler dans ces cliniques d'embellissement et on ne peut les blâmer d'être attirés par l'argent facile et le décor paradisiaque. Toutefois, je doute fort que, dans les organigrammes de ces industries, ils fassent le poids avec les escrocs charmeurs et les vendeurs d'illusions.

Combien de fois, les yeux mi-clos, je me suis transportée sous un palmier, sirotant un « rhum fruit punch » dans une noix de coco, pendant qu'on me gonflait les lolos ou le clito ! Chassez le naturel et il revient au galop : mon rêve fugace s'est estompé au profit d'un songe, bien plus magique encore, où on faisait des greffes de cocos. Ou plutôt de ce qu'il y a sous le coco. Je rêvais que, dans les supermarchés tropicaux de la métempsycose corporelle et faciale, des toubibs omnipotents pouvaient désormais inverser les hémisphères du cerveau, faire déménager les dominances de gauche à droite... Je me délectais des effets immédiatement observables, se traduisant par une migration des philosophies et des attitudes de la droite vers la gauche. Je voyais craquer la face de plâtre de Berlusconi pendant qu'il se métamorphosait en Gandhi. J'étais ébaubie devant Oprah Winfrey se recroquevillant en mère Teresa. Je m'extasiais de voir Stephen Harper troquer son nom de famille pour Suzuki et devenir en cours d'opération plus vert que vert. Je me pâmai littéralement lorsque j'aperçus George W. Bush se trancher les veines pour se faire frère de sang de Barack et noircir de bonheur... Quel rêve !

Puisque je suis dans les cocos... L'an dernier, nous avons passé les vacances de Noël en famille sur une plage de Cuba. Une plage où jouent dans les vagues les vacanciers nudistes et les vacanciers habillés. Un après-midi, deux jeunes femmes se trémoussent en bikini hyper sexy autour du filet de volley. Mêmes nez, mêmes seins pommes débordant latéralement des bonnets, mêmes babouines... Elles se ressemblent comme deux gouttes d'eau de mer. Jumelles ? Frangines, assurément ? Mais non. Elles partagent le même « géniteur » chirurgical. Ce sont des sœurs de scalpel. Un peu plus tard, au cours du même voyage, nous décidons, pendant une partie de pétanque, de nous adonner à un autre jeu de boules qui consiste à deviner, sans les avoir entendues parler, qui est italienne, qui est française, qui est québécoise parmi une sélection de femmes aux seins manifestement tout neufs. Les paris sont enregistrés, puis, vérifications faites en nous approchant et en tendant l'oreille. Eh bien, ma fille est experte à distinguer les siliconées (Europe) des salinées (Québec), et même, pour ce qui est des Québécoises, à identifier, parfois, leur chirurgien. J'entendais des adolescents canadiens et québécois : « Wow man ! T'as vu ses melons ! C'tu des vrais, tu penses ? » Montrez ce sein, que je tranche la question ? Pas nécessaire. Cela se voit, même quand les femmes sont vêtues. Et, sur les plages nudistes ou mixtes, ce sont presque immanquablement les rondeurs réformées qui renflent les balconnets, alors que les imparfaits nichons d'origine reniflent l'air du large, mamelons au vent. Allez donc y comprendre quelque chose !

Chirurgie du désir et dissection d'identité

À plusieurs égards, les modifications esthétiques sont à la fois recherche et expression d'un trop-plein de désir. Micheline Charest, on l'a vu, est morte d'une overdose de désir, inscrit au plus profond de sa peau et de son être. Comme si une funeste puce avait été introduite en elle par un monde persuadé qu'en dehors de la jeunesse et de la beauté, il n'y a aucun salut. Mystification réussie, qui fait poser des gestes définitifs dont les issues, parfois imprévues et imprévisibles, le sont aussi.

Dans l'excellent ouvrage *Un désir dans la peau*[65], une jeune femme juge ses seins trop modestes. Au chirurgien qui prend le temps de l'écouter, elle confie que, dans sa famille, cette particularité physique se transmet de mère en fille. Il l'interroge sur cette filiation et, surtout, il l'écoute et l'entend. Elle remonte le fil des générations jusqu'à lui révéler qu'une aïeule a mis au monde un enfant aux traits parfaitement « petit eskimo », après une relation adultère... C'est en se racontant que la jeune femme réalise qu'elle n'est pas prête à se séparer de cette caractéristique corporelle (petits seins), pas plus que de ses pommettes haut perchées traduisant l'ascendance autochtone secrète dont elle se glorifie.

Notre corps transporte bien plus que notre histoire immédiate. Il est tout codé dans notre peau si palpable, dans nos cellules gorgées de mémoire, tandis que rien n'est plus évasif et évanescent que le désir. Le corps est un réseau complexe, chargé de significations qui nous échappent en grande partie. Par ailleurs, plusieurs femmes nient[66] se donner tout ce mal pour rester désirables, séduisantes, pour se donner le droit d'être sexuelles.

> *J'ai une collègue états-unienne de mon âge qui a subi plusieurs modifications... L'homme (le sien et les autres), le regard que l'homme pose sur elle, compte démesurément à ses yeux. Elle est absolument persuadée, sans aucune preuve à l'appui, qu'elle aurait perdu à tout jamais le pouvoir de plaire, d'être désirée et d'être aimée si elle avait gardé sa bouille et sa charpente d'origine. Je suis pour ma part pas mal convaincue, sans plus de preuves à l'appui, qu'elle est dans l'erreur. Elle sentait la femelle réceptive d'un bout à l'autre de son cycle menstruel, avant. Son parfum phéromonal ne semble pas s'être volatilisé avec l'arrêt de ses règles. Elle dégage le même* sex-appeal *qu'avant, parce qu'elle aime le sexe comme avant. Sauf qu'elle a 60 ans et pas 30. Moi, je me dis que les femmes se leurrent en espérant que des transformations esthétiques les repositionneront dans l'échelle du désir masculin. Le mec qui veut baiser une fille de 25 ans n'en veut pas*

une de 50 qui en paraît 40 en essayant de faire croire qu'elle en a 35. Quant à une relation durable, je suis certaine que ce qui fait exister et durer une femme dans le regard d'un homme, du moins dans le regard d'un homme à peu près normal, pas atteint de nymphophilie ou de néophilie, c'est le fait d'être pétillante de vie et désirante. Je ne parle pas des froissements de cul, ces agréables (ou désagréables) collisions génitales sans lendemain, où seuls jouent le désir brut, les phéromones et les inhibitions noyées dans l'alcool. Je parle d'une relation qui traverse le temps. La poupée gonflable existe comme objet de désir vertical et jetable. En même temps qu'elle se dégonfle, dégonfle l'intérêt érotique qu'on lui porte.*

En s'insinuant dans la peau, le scalpel plonge dans l'identité. En effaçant son histoire, inscrite dans les lignes de vie du corps et du visage, la personne gomme une partie de sa biographie. Les rides et leurs zones d'inscription sont autant de chapitres et de jalons d'une histoire, les supports d'une identité. Le Pr Maurice Mimoun[67] avance que le corps est comme l'écran sur lequel se projettent, en cinémascope, nos éphémérides. À la naissance, l'écran est blanc, puis, au fil du temps, une caméra intracellulaire tourne le film de notre vie qui s'imprime sur ce corps-écran. Le corps alors devient décor, se singularise et se personnalise un peu plus chaque jour. En intervenant sur ce *corps-écran*, ce *corps-décor*, le praticien travestit le paysage : il fait disparaître une partie du synopsis personnel qu'il remplace par une fiction de son invention. Opérer le corps, c'est plonger le scalpel dans l'identité profonde. On ne transforme pas une personne sans une sérieuse investigation préalable de ses motivations, soutient l'humaniste chirurgien. Une intervention chirurgicale réalisée pour des motifs médicaux et de santé laisse des traces qui, tous les médecins le reconnaîtront, sont un

* Nymphophilie : néologisme du cru de l'auteure : attrait pour les très jeunes femmes ou pour des femmes au corps d'adolescente. Néophilie : néologisme désignant une assuétude à la nouveauté. C'est l'incapacité de résister aux nouvelles odeurs, au grain de peau inconnu, au regard non conquis, au corps inexploré. Voir Jocelyne Robert, *Le sexe en mal d'amour*.

moindre mal. On ne peut pas forer dans des cellules saines, à coups de scalpels ou de seringues, et que cela soit sans aucune conséquence.

La chirurgie esthétique fait des promesses de bonheur qu'elle ne tient pas. Heureusement pour elle qu'elle ne les tient pas car, si elle tenait parole, si nous exultions de bonheur après un petit coup de scalpel, il en serait fini de la quête de beauté après une seule et unique intervention. Par ricochet, il en serait fini du recours répétitif à ces chirurgies. Connaissez-vous le concept de clivage de la personnalité ? C'est un trouble psychologique dont on souffre tous et toutes un tantinet, à des degrés divers, dans lequel une partie de la personne croit quelque chose, alors qu'une autre part d'elle-même sait que cela est faux[68]. Ce trouble de la personnalité colle bien à l'engouement pour les promesses de la chirurgie esthétique et autres utopies de jeunesse éternelle : on y croit, tout en sachant que cela ne se peut pas. Quand on tente d'effacer une obsession par un coup de bistouri, on ne l'efface que temporairement. Le propre de l'obsession est sa récurrence et le propre de la vie, c'est de vieillir. Jamais le gommage des empreintes du temps ne jugulera la peur de vieillir et de mourir, le fait de vieillir et de mourir. Et puis, si on comptabilisait le temps, l'argent, l'énergie et la souffrance sacrifiés aux corrections du corps et du visage, on comprendrait peut-être mieux pourquoi régressent la disponibilité à la joie et la dérive érotique. Qui sait si, en réprimant nos débordements cosmétiques, nous n'amplifierions pas nos transports érotiques ? À mes yeux, il n'y a que deux façons de rester jeune : la passion pour tout ce que l'on fait et la compagnie des jeunes. Le mélange des genres et des générations donne invariablement un sacré coup de jeune !

Influence de stars et chouïa de potinage

Dans notre monde où l'apparence physique est valorisée à tel point qu'Hollywood compte plus de chirurgiens esthétiques que de vrais médecins, que les Michael Jackson[69] ou les Cher de ce monde exhibent des physionomies qui n'ont plus grand-chose d'humain, notre système de valeurs est sérieusement perturbé.

Au Québec, on est moins chafouin qu'en France, mais plus frileux qu'aux États-Unis sur ce sujet périlleux. On parle plus aisément des excès de certains monstres sacrés que de la nuée d'humanoïdes falsifiés qui nous entourent. Le Québec est un petit monde où on ne veut pas faire de peine, alors on chuchote en coulisse, on potine avec ironie dans la langue de bois: « As-tu vu telle actrice, elle ne dort plus sur ses deux oreilles, mais sur ses deux babines !!! Et cette jeune animatrice qui tente de nous faire croire que ses seins ont subi une transformation extrême, naturellement, après son accouchement ! L'opération du Saint-Esprit avec ça ? » Aux États-Unis, les chroniqueurs dissèquent publiquement et sans gêne. L'étalage burlesque de visages botoxés, de nichons gonflés à l'hélium et de babines soufflées comme d'énormes chambres à air les encourage et ils n'y vont pas avec le dos du crayon: « Vous avez vu Priscilla Presley ? On dirait qu'elle a subi une transplantation de la tête ! » écrivait le *Los Angeles Times*[70]. Quel journaliste québécois oserait demander publiquement si Bella Baloney n'a pas subi, elle aussi, un repiquage complet et raté du visage ? Même chose en France. Peut-être parce que les vedettes les nient ou les dissimulent, on ne spécule pas trop à propos des métamorphoses faciales de Caroline Dejeune, d'Ariane Dompierre ou d'Eva Béjart, si flagrantes soient-elles ! Le commentateur politique québécois risquera, tout au plus, *off the record*, une sarcastique médisance: « Mais non, cette première dame n'était pas furieuse lors de ce point de presse, c'est juste qu'elle n'est plus capable de sourire: overdose de collagène ! » Nous sommes plusieurs, maintenant, qui avons l'œil. Pour ma part, pas une bouche-pneu, pas un front-fer à repasser, pas un visage tiré à quatre épingles ne m'échappent.

Chez nos voisins du Sud, Demi Moore se flatte d'avoir dépensé près d'un demi-million de dollars pour obtenir le visage et la silhouette dont elle rêvait: lifting, rhinoplastie, implants mammaires, liposuccions[71]... Sharon Stone prétend n'avoir rien fait, ni Botox ni chirurgie, pour conserver son look d'enfer. Seulement de la gym et la culture de son bien-être intérieur, dit-elle. L'univers en doute. Surtout depuis qu'elle dit de Meryl Streep qu'elle a un visage de « lit défait » et qu'un juge lui a retiré la garde de son fils de huit ans qu'elle voulait mettre au Botox. En contrepartie, Sarah Jessica Parker, la Carrie Bradshaw de *Sex and the City*, déclarait, rieuse, au magazine français *Madame Figaro* en mai 2008: «Regardez toutes mes rides! J'ai entendu dire que je fais plus vieille que mon âge... Mais voilà, je suis expressive, je grimace et mes sourcils bougent bien, je n'ai rien fait, rien... Il s'agit d'un choix, le choix d'être différente...» Est-ce pour cela qu'au Québec, comme dans la plupart des pays où cette série fut diffusée, Parker était la préférée des quatre protagonistes? L'actrice se dit déterminée à vieillir sans se soumettre à la tyrannique intervention esthétique. Rafraîchissant, pour une star américaine dans la quarantaine! Elle me rappelle Anna Magnani, célébrissime star italienne des années 1950 dont on raconte qu'elle avait ordonné à un photographe de ne pas toucher à ses rides qu'elle avait mis tant d'années à acquérir. En France, Emmanuelle Devos (45 ans en 2009) et Sophie Marceau (43 ans en 2009) tiennent pour l'instant le même discours[72]. Dans l'Hexagone, la plupart des stars adoptent au sujet de la chirurgie esthétique une attitude comparable à celle qui est la leur quant à l'infidélité: on nie l'avoir fait, même quand le mensonge est notoire, ou alors on garde le silence. Les femmes publiques états-uniennes se feraient lapider si elles mentaient trop effrontément sur leurs facéties chirurgicales et cosmétiques. Français et Québécois sont bon enfant et font mine d'avaler les couleuvres, alors que personne n'est dupe des abracadabrants changements, et ils raillent en catimini... Andréa Bouchard évoquait, il y a quelques années, son «trrrrrrès léger lifting, trrrrrès naturel...», alors qu'elle était méconnaissable, le visage amidonné et opalescent. Aussi naturel en effet qu'une jambe de bois! Comment ne pas sourire d'incrédulité quand Chanelle Richer, dans le confessionnal d'une animatrice qui lui tire les vers du nez, finit par admettre avoir subi de légères retouches, «de toutes petites choses», en fixant l'intervieweuse de son œil orthogonal... J'avoue ne pas trop comprendre. Pourquoi s'en défendre? Elles avaient honte de leurs rides et ont décidé d'y remédier. C'est parfait. Pourquoi avoir honte, maintenant, de ne plus en avoir? J'admire celles qui résistent. J'admire tout autant celles qui assument[73].

Par contre, parmi les frénétiques il y a… Meg Ryan (47 ans en 2009) : minimalement bouche et pommettes, injections de Botox et de collagène. Qu'est-il arrivé à cette charmante actrice ? En 2003, elle eut beau se mettre à poil à l'écran dans *In the Cut*, c'est son sourire dopé aux produits infiltrants qui défraya la chronique. On jurerait que sa bouche a été livrée à une armée de guêpes : une bouche de canard, surmontée par deux pommettes semblables à des balles de ping-pong, lui donne un petit air *shooté*. Désormais, Jimmy Aldeway, Meg Ryan, Éva Béjart, Andréanne Boisique et Chanelle Richer ont des airs de famille. La famille des anatidés.

Britney Spears (27 ans en 2009) : rhinoplastie, deux fois des implants mammaires. Mais non, elle n'en a pas quatre ! Elle a fait réduire les premiers. Sa poitrine connut en 1999 un épisode *andersonien* ou, si vous préférez, *pamelonniste*, avant de retrouver des proportions plus humaines quelques années plus tard. Précoce, elle s'y est mise alors qu'elle était idolâtrée par les prépubères.

Avez-vous eu un choc en voyant Priscilla Presley dans *Dancing with the Stars* ? Méconnaissable. Une créature du Dr Frankenstein. Normal, disent certains, qu'une névrosée de 65 ans, qui a eu recours aux chirurgies à répétition (genre trois liftings, quelques fois les paupières, deux fois les nichons, en plus du Botox et du collagène régulièrement), soit plus pétrifiée que celle de 40 ans qui en est à son premier lifting. Veut-elle rivaliser avec feu Mickie, son ex-gendre ?

Quand même… Toutes ne carburent pas aux chirurgies avec la même fureur. Il y a des degrés. Vous aimez comme moi la série *Beautés Désespérantes* ? Brette est si impeccable que même son visage est parfait : il ne bouge plus ! Qu'elle coupe une tarte, pleure la mort de son mari ou s'enrage contre son fils, elle a toujours la même mine de robot. Et Suzette la perdue, dont les yeux et les nichons partent, les uns à l'est et les autres à l'ouest ? Quant à Eda, si on avait les odeurs à la télé je ne m'étonnerais pas que son cul sente le plastique !

Karl Lagerfeld[74], je l'en remercie, confirme mes propos lorsqu'il décrit l'évolution du corps des femmes mannequins. La tendance, selon lui : des traits de plus en plus semblables, des seins disproportionnés sur des corps de plus en plus effilés, et de toutes petites têtes... Alléluia ! Les luttes féministes ont accouché d'une femme avec une tête de poule posée sur une paire de lolos éléphantesques.

Quand j'étais une toute petite bambine, avait sévi dans les rues de Montréal un dangereux criminel appelé le « maniaque au rasoir ». J'ai lu sur le Web (je suis aussi webophage !) une histoire d'horreur des temps modernes, qui pourrait s'intituler « Les maniaques du scalpel », que je meurs d'envie de vous raconter. Il était une fois Barbie et Ken, les célèbres poupées de Mattel que toute la planète connaît. Il était une fois aussi leurs plus démentiels adorateurs, Cindy et Miles[75]*. Par la magie diabolique de la chirurgie, les figurines de plastique se sont mises à exister pour de faux. Dans leur vraie vie et leur faux corps, Cindy Jackson et Miles Kendall*[76]*, deux Anglais, ont décidé d'incarner le couple de poupées mythiques. Heureusement qu'ils ne se sont pas entichés de Dumbo l'éléphant et de Minnie Mouse ! Toujours est-il qu'il leur en a coûté des centaines de milliers de dollars pour subir plus de 100 opérations, allant d'implants à la mâchoire à des liposuccions à répète, qui les ont transformés en pantins. Prodigieuse inversion : on fabrique habituellement des poupées à l'effigie de personnes réelles ; dans ce cas-ci, ce sont de vraies personnes (?) qui se sont fait démantibuler, puis rafistoler à l'image de figurines.*

Miles eut l'appel du scalpel en entendant Cindy Jackson parler de sa métamorphose barbiesque dans une émission de télévision. Âgé de 33 ans, il rêvait de changer son physique depuis déjà un moment. Il décida qu'il deviendrait Ken, l'éternel fiancé, le chevalier servant. On ne peut pas dire que l'ambition macho soit son principal défaut, hein ! Quant à Cindy, après avoir subi 42 sauvages opérations pour se faire barbifier, elle fut honorée du titre barbare de « femme la plus transformée » dans le Livre Guinness des records. *Je lui ai écrit pour lui demander si elle s'était fait enlever le clito et recoudre le vagin, pour épouser parfaitement le modèle Barbie. Au moment d'aller sous presse, elle ne m'avait toujours pas répondu.*

Miles-Ken explique qu'il ne détestait pas son apparence d'origine : « J'avais juste un nez trop large et je vieillissais... » Sans blague ??? Vieillir ! Quelle malchance ! Il fallait que ça tombe sur lui ! Il a donc flambé un héritage pour financer la cinquantaine d'interventions chirurgicales qui lui ont permis de devenir un Ken en chair, en os et en toutes sortes d'autres matériaux. Si le testateur avait su, il aurait sans doute légué sa fortune à une organisation secourant les maringouins ! Bon... C'est donc en compagnie de Cindy-Barbie qu'il a choisi les différents aspects de son nouveau visage, susceptibles de le faire plus Ken que Ken : les yeux de Tom Cruise, le nez de Brad Pitt, les lèvres de George Clooney, le menton de Russell Crowe, les pommettes de Johnny Depp et les dents de Jude Law. Comment peut-on devenir le clone d'un clown jouet en empruntant un trait singulier à une kyrielle d'êtres humains ? Le résultat, quant à moi, est éminemment insignifiant. Et dire qu'on soigne, en psychiatrie, les gens qui ont des dédoublements de personnalité ! Quant à savoir si son Ken fantasmagorique l'a poussé à se faire implanter un zob à la Rocco Siffredi ou si, au contraire, il a pu subir une ablation pénienne avec orchidectomie, Ken et Barbie n'ayant jamais consommé faute de génitoires, il n'a pas, lui non plus, répondu à mes questions...

De l'anecdote, dites-vous, ce récit de Gwen sur la *barbiemorphose* et la *kennyplastie* ? Bien évidemment. Mais les excès sont toujours assez révélateurs des tendances. Ces avatars de Barbie et de Ken sont de bizarres zigotos. Il y a des êtres plus étranges que d'autres. À leur façon, les frères Bogdanoff[77] en sont. Il y a des bornes que, de toute évidence, certains et certaines, de plus en plus nombreux, repoussent jusqu'à l'ultime limite de la folie.

Pensée magique, pensée tragique

Dans le domaine des transformations corporelles, les comportements et attitudes irrationnels sont légion. Je pense à ces femmes, des femmes ordinaires qui, la bouche toute maculée de chocolat, jurent ne pas en avoir mangé ! La journaliste Sophie Allard[78] relate le cas de Catherine qui s'offre le populaire trio (seins, abdomen et flancs liposucés) et qui veut croire que cela ne se verra pas à son retour au bureau, deux semaines plus tard !!! Non, mais... Comment peut-on quitter ses collègues avec une poitrine famélique, une brioche qui nous tombe sur les cuisses et une culotte de cheval, et penser sérieusement qu'ils ne remarqueront rien lorsqu'on les retrouvera 15 jours plus tard avec le corps de Madonna ? Il y a trois possibilités. La première : ils ne remarqueront rien parce que cette femme est inexistante à leurs yeux, et, si tel est le cas, la métamorphose n'y changera rien. La deuxième : ils ne se rendront compte de rien, parce que le corps de Catherine était aussi bien avant qu'après l'opération. La troisième, la plus plausible : ils s'en rendront compte, mais ne diront rien, parce que Catherine elle-même fait tout un mystère de la chose. Mais ils ne sont pas naïfs et chacun pensera sans doute : « Tiens tiens... Je n'aurais jamais cru qu'elle était si vieille et se croyait si moche pour se sentir obligée de se faire toute refaire ainsi... »

Loin de moi l'idée de ralentir le progrès. J'accepte et je respecte l'opinion de celles et de ceux qui préfèrent la matière immuable plutôt que les physionomies sculptées de vie. Je veux juste qu'on cesse de nous faire croire que les rides sont obscènes. Et que le corps d'une femme intacte est abject. La grossièreté n'est pas dans les rides. La quadragénaire qui se donne des allures de nymphette et la sexagénaire qui se fait reconstruire en modèle trentenaire me semblent bien plus obscènes. M'est avis que le combat contre le vieillissement devrait se faire à coups et à coûts de recherches scientifiques plutôt qu'à coups et à coûts de couteaux. Si l'argent, les efforts et les énergies dépensés sur la planète pour des chirurgies, des corrections et des entretiens cosmétiques de rajeunissement étaient investis dans la recherche, qui sait si nous n'aurions pas déjà gagné quelques saines et belles années de longévité ?

Un dernier reproche que j'adresse à la médecine esthétique, c'est qu'elle laisse croire qu'il est impossible qu'un visage ou qu'un corps vieillisse bien, harmonieusement, sans son secours. En définitive, son discours est d'une extrême ambiguïté et par conséquent très anxiogène : il sème l'espoir de rajeunir tout en nous assommant avec la fatalité du vieillissement !

Cela m'a pris trois ans à émerger des limbes de mon anxiété. À voir l'harmonie dans les repères et les estampilles du temps sur mon visage et sur mon corps. Mes rides ne sont pas vulgaires. Elles sont des vulgarisatrices d'une vie d'aplomb et d'audace. Je crois qu'elles contribuent à me faire sentir plus équilibrée globalement. Et Dieu sait que j'en ai besoin ! De plus, quand je souris, on ne les voit plus : elles se calent dans ma bonne humeur. Alors, je souris beaucoup, sans le moindre effort. Sourire me fait sourire comme dans un effet de contamination intérieure. Mon corps de sexygénaire aussi est équilibré. La densité, la texture des années, les expériences s'y sont distillées par-ci, condensées par-là, dans une distribution, ma foi, assez élégante.

Un jour, depuis le bas d'un imposant escalier en colimaçon que je m'apprêtais à descendre, un sosie de George Clooney me gratifia, que dis-je, me déstabilisa d'un irrésistible sourire. Je sortais d'un entretien de 12 minutes avec le plus célèbre liposuceur de Montréal. Il venait de me fixer un rendez-vous pour un dégraissage du bidou. J'avais 50 ans et trois poussières, et, depuis peu, une miche en lieu et place de mes ex-époustouflants abdos. Le Beau Brummel, planté sur le palier inférieur, me crucifiait, par en dessous, de son regard dévastateur. Ouvrant tout grand ses bras dans un geste d'invitation à m'y laisser choir, il s'exclama, assez fort pour être entendu du sous-sol au penthouse : « Que vous êtes belle ! »

Vous savez quoi ? Je l'ai cru. Étais-je la centième qu'il baratinait ce jour-là ? Je m'en fiche. Mais, si tel est le cas, j'espère que les 99 autres ont été aussi crédules que moi. Je n'ai pas douté un seul instant de son impétueuse sincérité et dès mon retour à la maison j'ai téléphoné pour annuler la chirurgie. Je suis prête à parier que si un mec séduisant se postait sur le seuil des cliniques de réfection esthétique et faisait l'éloge de la beauté et de la désirabi-

lité des femmes qui s'y engagent, plusieurs rebrousseraient chemin. Pour ma part, je traversais, sur les plans affectif et amoureux, une période de vaches maigrichonnes et cet homme venait de combler mon besoin tout simple et tout légitime : me sentir attrayante, belle et désirable. Qui plus est, deux petites années plus tard, une fois passé le déséquilibre hormonal de la ménopause, ma miche s'était aplatie en une tartelette à croquer. Ce galant venait de me faire économiser bien des souffrances et quelques milliers de dollars avec lesquels je suis allée me perdre en Chine durant plusieurs semaines. Je n'ai jamais eu l'occasion de lui dire merci. Ce que je fais aujourd'hui. Sait-on jamais... Un clin d'œil dans un océan de mots vaut bien une bouteille à la mer.

Avoir un corps intègre à l'ère du toc est en soi un exploit. Habiter pleinement, fièrement et joyeusement ce corps ne devrait pas être un privilège réservé aux jeunes beautés. Jamais la pression pour se corriger et se transformer n'a été aussi accablante et envahissante. Jamais nous a-t-on imposé tant d'invraisemblables et inaccessibles idéaux. On dit qu'il faut s'aimer pour avoir l'énergie de se rebeller contre les tyrannies... Qu'il faut être faite solide. Je crois qu'il faut, en outre, de la solidarité. Solidarité des femmes dans ce mouvement contestataire, mais solidarité de nos hommes aussi. J'estime que le temps est venu de discuter clairement, ouvertement, de cette question. De briser le tabou du silence. Débattre ne veut pas dire s'engueuler, s'attaquer et s'écrabouiller le portrait sur la place publique. Débattre signifie échanger, énoncer, oser dire, exprimer le comment et le pourquoi de ses positions. Je m'étonne que la déferlante des transformations esthétiques ait pris une telle ampleur sans qu'on sache encore pourquoi et pour qui les femmes le font, et ce que les hommes en pensent vraiment. Comme le propose lumineusement Louise Vandelac, la mise en marché d'un tel désir de remodelage corporel exigerait d'ouvrir les têtes avant d'ouvrir les corps, afin de permettre, du moins dans certains cas, de troquer les mots pour le bistouri et d'éviter l'escalade[79]... Et les désillusions.

Quatrième résolution

Il y a un choix à faire. Il est tout simple : avatar ou vintage. Accepter le modèle en vogue et entrer dans le cheptel en disant oui à la réplication et à la banalisation, ou le refuser en disant oui à l'unicité et, de ce fait, à la diversité. En d'autres termes, parfois dès la quarantaine, toujours après 50 ans, une femme est de tendance vintage ou de tendance avatar. Il n'y a pas vraiment de troisième voie. Il m'arrive de me regarder, nue devant ma glace, et de me demander ce que je pourrais bien me faire rafistoler. Par où commencer… ? Une petite couture par-ci, une petite reprise par-là, une grande aspiration au sud, un bon remplissage au nord, un coup de bistouri autour de la bouche puis des yeux, injection par-ci, infiltration par-là… C'est sans fin. Et toujours à recommencer. Tout cela pour, au bout du compte, avoir une tête comparable à celles des femmes qui ont traumatisé Gwen au Théâtre des Champs-Élysées* ? Jamais. Il me suffit d'évoquer ce troupeau homogène pour me trouver unique au monde, sans compter toutes ces choses que j'ai à faire, à vivre, à découvrir et qui sont tellement plus joyeuses, plus jouissives, moins souffrantes…

* * *

Si la tentation me prend de chuter (ou, pour certaines, de rechuter) dans cette substance licite de la conformité, si je suis prise d'une douloureuse envie de me soumettre au lieu de continuer à me distinguer, je ne manquerai pas de me demander :

- Pourquoi ? Pour qui le ferais-je ?
- Cette quête de beauté paroissiale a-t-elle à voir avec ma désirabilité érotique et avec mon propre désir ?
- Cette tentation peut-elle être tributaire de ce que je vis ou ne vis pas en ce moment ?

---

* Voir le début du chapitre 2.

- Suis-je déprimée ou dépressive ? Suis-je consciente qu'une modification corporelle ou physionomique ne guérit jamais d'un mal-être existentiel ?
- Enfin, sur une échelle graduée de 0 à 10, quelle est, en ce moment même, la note que j'accorde à mon estime personnelle ? Et la barre-flèche pointe-t-elle vers le bas ou vers le haut ?

Dans n'importe quel domaine, il est extrêmement risqué de prendre une décision à portée irrévocable lorsque la cote de l'estime de soi est au-dessous de 8 sur 10. Et puis, qui sait si les vamps en vogue actuellement — tête repiquée et visage infroissable, seins bétonnés greffés sur un corps filiforme — ne seront pas les laiderons de demain ? Tant que je ne suis pas retouchée, je peux toujours changer d'idée. Une intacte peut toujours décider de devenir une retouchée. Une retouchée ne peut plus jamais redevenir une intacte.

CHAPITRE 5

Éros, c'est la vie qui applaudit la vie

On ne devient pas meilleur en vieillissant.
On prend juste infiniment plus de plaisir
dans tout ce que l'on fait…

Mon amie Viviane a récemment revu Michel, son fol amour d'adolescence, lors de retrouvailles d'anciens… Avec ses 62 balais bien sonnés, elle le découvrit débarrassé de son insolente fraîcheur juvénile, encore plus émouvant que dans son souvenir. Lèvres amincies et frémissantes, fossette immuable, iris d'ébène cerclés de plissures d'étoiles, chevelure salée, taillée en brosse canaille… La silhouette prospère, le geste ample, un corps décontracté et confortable, qui bouge bien malgré l'épaisseur. Viviane sentit ses mamelons dégainer, pressés soudain de prendre l'air, empêtrés dans des sensations troubles de pointe d'aiguille. Elle sentit le pouls effarouché de son clitoris sortant de son hibernation et fut assaillie d'une terrible envie de faire un «back to de future» pour savourer ce corps fantasmé qu'elle avait, à l'époque, chipoté du bout des lèvres. La nature l'avait dotée d'une bouche gourmande qui ne s'était pas trop vidée avec le temps. Résurgence du passé, elle eut envie d'allumer une cigarette, fit mine d'avaler goulûment la fumée, de sucer le dérisoire cylindre. «Calvaire! jura-t-elle en me racontant l'anecdote, je n'allais quand même pas lui proposer qu'on remette le couvert! Pourquoi les pépés ont-ils la cote et les mémés la décote ?» me demanda-t-elle, rageuse. Quelle ne fut pas sa surprise joyeuse, quelques jours plus tard, d'entendre sur sa boîte vocale l'invitation non équivoque de Michel ! Elle ne lui avait pourtant pas soufflé mot de son bouleversement. Il avait tout senti. Il avait bien fleuré que les seins de Viviane – des seins plus lourds que dans son souvenir, gorgés d'histoires inconnues de lui – ne demandaient qu'à être fréquentés. Il avait perçu que toutes ses petites cellules étaient au bord d'un éternuement bienfaiteur... Quelque temps après, elle me confia éberluée : « Ciel ! Il me désire. Tu te rends compte ! »

Les corps, le tonus, les fesses, les seins et les sexes sont moins fanfarons en vieillissant. Ceux de nos hommes surtout, du moins en ce qui a trait à la tige de jade... Tout doucement, jusqu'au plus grand âge, les oreilles, le nez et les pieds continuent d'allonger. Un autre organe, sexuel celui-là, en fait tout autant. Qu'est-ce qui est invisible, impalpable et qui grossit et grandit jusqu'à la fin de la vie ?... C'est l'imaginaire érotique, cette boîte à images entre nos deux oreilles. Constituée de nos fantasmes, de nos expériences, de nos rêves, de nos folies, de tous les matériaux érotiques et érogènes accumulés, elle n'en finit jamais de se remplir, de nous vitaliser, de nous distraire.

Adolescente, Viviane avait cru que Michel était son âme sœur. L'amour de sa vie. Elle avait toujours évoqué cette flamme de jeunesse comme un rendez-vous raté avec son histoire. Elle avait vécu, aimé, ri et pleuré, travaillé, fait des enfants, traversé son existence, sans lui. Je suis certaine que nous n'avons pas qu'une seule âme sœur. Il avait été un amour de sa vie. Nous en avons plusieurs que nous croisons, au fil du temps, parfois sans les reconnaître. Quand la rencontre survient trop tôt ou trop tard, pour l'un ou l'autre des amants potentiels, la correspondance ne se fait pas. Les petits crochets n'opèrent pas, ne s'agrippent pas les uns aux autres.

Rien ne laissait prévoir que nos destins, à Dimitri et à moi, se croiseraient et surtout que nous aurions, au car-

refour de notre rencontre, l'envie et la disponibilité de les fusionner. Tout nous séparait: âge, origine, culture, océan... Miracle de s'être repérés aux Trois-Rivières? De s'être reconnus? D'avoir été libres et disponibles l'un pour l'autre? Mais non, rien de prodigieux là-dedans. Heureux concours de circonstances, bien plus fréquent qu'on ne le croie. Dimitri... Il me parle. Il a toujours plein de choses à me dire. Nous sommes vraiment ensemble, et cela, même quand physiquement nous sommes loin l'un de l'autre, quelques mois par an. Il me captive par ses histoires. Il m'admire. Il m'aime. Il me désire. Je lui parle. J'ai toujours plein de choses à lui raconter. Je l'ensorcelle par mes histoires. Je l'admire, je l'aime, je le désire. Parfois, nous baisons. Parfois, nous faisons l'amour. Parfois, nos corps sont silencieux. Toujours, nous allons à la rencontre l'un de l'autre. Mon désir est fidèle. Mes orgasmes sont plus volatils, moins tonitruants qu'à 30 ans. Pas moins bons, pas moins satisfaisants. Mon bien-être érotique a pris de l'amplitude. Ma boîte à fantasmes n'en finit plus de m'étonner. Comme pour la beauté, la sexualité est moins clinquante avec les années, plus qualitative que quantitative. Moi, Gwendoline Dubois, mère, grande-mère, professionnelle et féministe détendue, je n'aurais jamais cru me retrouver, à 61 ans, dans un couple marginal, avec un quadra d'outre-mer. Et dire que j'ai failli passer à côté de ça. Dire que j'ai eu peur au point de tout faire voler en éclats.

Ça n'arrive pas qu'aux autres de tomber, tardivement et mutuellement, en amour! Mais pour que ça arrive, il faut oser, prendre quelques risques, vaincre la peur, cette maudite empêcheuse de tourner en rond, cette ennemie qui nous colle aux baskets. Peur du rejet, peur du ridicule, peur de ne pas être à la hauteur, peur que ça marche, peur que ça ne marche pas... Rien n'est plus stérile, paralysant, destructif, saboteur que la peur. Au diable la frousse aux trousses qui nous maintient dans notre carré de sable et nous empêche de devenir actives dans les changements souhaités.

Si l'amour est sans âge, il y a, forcément, des amours sans âge. Et des couples millénaires. Ce sont ces amoureux dont le cœur et le sexe battent tantôt à l'unisson, tantôt au diapason, à leur rythme, jusqu'au bout de leur histoire…

Aimer et être aimée

Plus on vieillit, plus on aime. Plusieurs s'étonnent d'un tel énoncé. Ça me paraît si évident: en s'écourtant, le temps devant soi donne de la valeur et de la saveur à chaque instant. La femme vintage respire le temps comme si elle le tirait d'une bonbonne, limitée, d'oxygène: sa raréfaction en fait une denrée précieuse et tonifiante. On ne tombe pas en enfance; on tombe en amour avec la capacité de jeu et d'émerveillement de l'enfance. La femme qui attend l'homme qu'elle aime est sans âge. En plein automne, leurs festins sont printaniers. Jusqu'à 100 ans, ils se câlineront avec une infinie douceur, ils s'escaladeront, du bout des orteils jusqu'au sommet de l'âme, en s'attardant sur leurs sexes usés de joie, déliquescents de jubilations.

Plus on vieillit, mieux on aime. Même quand l'élu est allégorique, la femme qui attend l'homme qu'elle aime est sans âge. Que le bien-aimé habite ou n'habite pas sa maison et son histoire, qu'elle l'ait ou non rencontré, elle n'est pas seule. Elle pourrait avoir 1000 ans qu'elle serait sans âge, parce que animée de désir, de vie, de goût de l'autre. Je ne parle pas d'une attente stérile et statufiée, je parle d'une attente affairée, gaie, dynamique. Elle est au-delà de toutes les déceptions parce qu'elle est au-delà de toutes les ambitions. En fait, nous sommes tous et toutes sans âge et devrions livrer une lutte sans merci à ce concept séparatiste. De la naissance jusqu'à la mort, nous sommes tous et toutes du même côté, dans la même aventure, celle des vivants et du vivant. Un jour, nous passerons tous et toutes du côté des inexistants. Tant que nous n'en sommes pas là, soyons pleinement de ce côté-ci des choses.

Pour être heureux, capable de vieillir dans une certaine harmonie, il faut rester en état de disponibilité et d'accessibilité. Être une île, mouvante, flottante, mais accostable… Avec les aléas que cela comporte. Rester aimable, non pas dans le sens gaga de « gentille », mais dans le sens étymologique de « susceptible d'être aimée ». En couple ou en solitaire, n'oublions jamais que c'est l'amour qui éternise le désir. Le désir sexuel, mais aussi le désir purement érotique qui consiste à approuver et à applaudir la vie. Tout est tellement bon quand tout est susceptible de nous échapper.

Émouvoir et s'émouvoir

La peur, l'ai-je assez dit, est la plus imbuvable et la plus vicieuse des émotions. Récurrente, elle s'implante à demeure, elle envahit et paralyse : peur de ne plus exister dans le regard de l'homme d'abord, des autres ensuite, peur d'être laide, seule, malade, inutile, peur de souffrir, de mourir, de ne plus être baisable, d'être inexistante, peur d'être en trop... La peur est un ressenti qui marque, creuse, stigmatise le corps et le visage. Portez attention aux gens craintifs : ils sont souvent tassés sur eux-mêmes, ils regardent le sol, longent les murs, limitent leurs déplacements et l'ampleur de leurs mouvements. Leurs membres se délient difficilement, comme scellés vers l'intérieur, leur visage est effarouché des rainures de la peur. On pense que c'est la vieillesse qui les courbe ainsi, alors que c'est la peur. Impasse et triple contrainte : on n'a pas le choix de vieillir, on a peur de vieillir et la peur fait vieillir !

Le visage et le corps sont des fenêtres ouvertes sur nos émotions, bonnes ou mauvaises, attirantes ou repoussantes. À travers eux, on donne à l'autre notre journal de vie à lire. À tout âge, soit le visage et le corps s'animent et s'enluminent de notre histoire, soit ils se barricadent et s'assombrissent. Ce qui attire chez l'autre, c'est précisément son parcours unique, c'est ce qui le différencie, ce qui l'inspire. Quel bonheur de se trouver devant un livre-visage dont la graphie, la calligraphie et la biographie n'ont pas été effacées. Cessons d'avoir peur d'être inintéressant, de ne pas être à la hauteur, de n'avoir rien de captivant à partager. Toute une histoire vit en chacun de nous, avec ses ombres et ses lumières.

Sur un visage libre et mobile, toutes les émotions se trémoussent en une chorégraphie de micromouvements. Cela est d'une extrême importance pour la compréhension mutuelle des personnes en situation de communication, de séduction, d'apprivoisement. Non seulement le visage révèle notre état intérieur, mais on a vu qu'il adopte, inconsciemment, les mimiques du visage de l'autre. C'est grâce à cette réplique des micromouvements chez l'un que l'autre sent, sans équivoque, qu'il est compris. Il ne faut pas tenter de travestir nos émotions, même celles que l'on considère comme moins nobles. C'est en les laissant vivre et émerger qu'on en vient à les transcender. C'est en les laissant vivre et émerger qu'on suscite l'intérêt.

Désirante et désirable

En ouvrant ce chapitre, j'écrivais que, à mesure qu'on vieillit, tout nous procure plus de joie, et qu'il en est probablement ainsi parce que la bande de temps alloué ne se déroule pas très loin devant. Il faut ajouter que la joie est plus dense, plus ronde du fait que la conscience s'est aiguisée, que les expériences se sont amalgamées les unes avec les autres. Après avoir parcouru une large gamme de peines et de bonheurs, de déceptions et de ravissements, d'espoirs et de désillusions, on goûte infiniment mieux chaque parcelle de bien-être. Quand on a fréquenté la souffrance, on respecte infiniment plus le plaisir. On ne le voit plus comme une émotion moins noble. On est même tenté de le vouvoyer. Une autre folle extravagance du vieillissement: malgré que les sens commencent à perdre un peu de leur acuité, ce qui est désormais perçu, visuellement, olfactivement, gustativement, auditivement et tactilement, est plus goûteux que jamais!

Pour déboulonner le poncif selon lequel les femmes d'expérience ne seraient plus des êtres sexuels et érotiques, laissez-moi reproduire ici la lettre-témoignage que j'ai reçue il y a quelques années de Mme Rosa[80].

J'ai 78 ans et je suis veuve depuis un an. Jusqu'à deux ans avant sa mort à 85 ans, j'ai eu avec mon mari une vie sexuelle très active. Les deux dernières années, il n'arrivait plus à me contenter par la pénétration. J'en avais alors parlé à une de mes filles qui est très ouverte sur la chose et elle m'avait conseillé de me satisfaire moi-même. J'essayai et ça allait. Je le faisais quand nous avions des rapports qui n'aboutissaient pas à mon goût.

Depuis que je suis seule, j'ai terriblement envie d'avoir des relations sexuelles. À tel point que mon clitoris fait un genre de toc toc, comme un cœur qui bat, pendant environ une semaine par mois. Ça me dérange beaucoup et je voudrais que ça arrête. Comment voulez-vous que je parle de cela sans passer pour une vieille folle ? Je n'ose aborder le sujet avec mon médecin de famille, car je crois qu'il ne comprendrait rien et qu'il me jugerait. C'est pour ça que je prends mon courage à deux mains, sur la recommandation de ma fille, pour vous écrire...

Je ne dois pas être normale. Il faut dire que la première année de notre mariage, nous avions des relations sexuelles 3 à 4 fois par jour, 7 jours par semaine. Après, cela diminua. Mon mari était un homme chaud et moi, je ne demandais pas mieux... Il ne m'a jamais obligée. Une chance que je ne partais pas enceinte facilement, je n'ai eu que 5 enfants. Vers l'âge de 40 ans, j'ai demandé conseil à mon médecinpour diminuer mon appétit sexuel. Il a semblé découragé et m'a dit de me changer les idées et que ça passerait en vieillissant. J'avais honte et j'étais inquiète parce que ça ne diminuait pas. Je me rappelle une fois où mon mari s'est absenté plusieurs jours. J'avais tellement besoin que j'avais mal au ventre. Plus jeune, chaque fois qu'on faisait l'amour, j'avais 3 ou 4 orgasmes (sans savoir que ça s'appelait ainsi). Vers la fin de sa vie, on le faisait encore presque chaque jour. C'était bon mais je n'arrivais pas à jouir chaque fois, alors après, il m'arrivait de me caresser...

Je n'ai jamais eu de relations sexuelles avec personne d'autre que mon mari. J'en ai jamais eu envie. Lui et moi, nous étions faits pour aller ensemble à tous les plans et maintenant, je suis bien seule. J'ai vraiment besoin de votre aide. Je vous avoue que j'ai envie de sexe avec un homme mais je ne veux pas d'un mari. Que faire ? Je ne vais quand même pas passer une annonce dans le journal : « Arrière-grand-mère cherche fuck friend... »

Évidemment, hélas, toutes les femmes ne sont pas gorgées d'une libido semblable à celle de Mme Rosa. Et toutes n'ont pas eu ce rare privilège de partager une vie de complicité érotique avec leur homme… Mais toutes, avec leurs caractéristiques singulières, avec leur intérêt sexuel personnel, avec leur manière à elles d'exprimer leurs besoins affectifs et charnels, demeurent des êtres sexués et érotiques. Pour certaines femmes, la volupté est réformée après la ménopause. Elle prend d'autres couleurs. Parlons franchement : à 20 ans, on s'est bien souvent fait baiser. Parfois, notre corps était là, mais la personne censée être dedans était absente. À d'autres moments, on a été spectatrice ou exécutrice, pour le plaisir de l'autre. C'est plus tard qu'on saute, pieds et poings déliés, dans le train de la volupté. Jusqu'à la quarantaine, on baise et on fait l'amour, on participe et on a des activités sexuelles. L'alcôve est tantôt un lieu d'intimité et de plaisir, tantôt une scène de performance. Ensuite, jusqu'à la cinquantaine, il y a des ratés mais de réels bonheurs érotiques, des accalmies suivies d'une transition plus ou moins longue vers un nouvel équilibre. Durant l'intervalle autour de la ménopause, plusieurs femmes s'inquiètent de glisser vers un mutisme érotique. Et puis, quand l'intérêt pour la vie persiste, l'intérêt érotique s'emballe de nouveau. À condition de tisonner la cendre, on découvre des braises bien chaudes dessous, prêtes à s'embraser encore, à réchauffer le cœur.

On ne cesse pas d'être désirante en franchissant le cap de la ménopause. Comme lors de la puberté, on passe à un nouvel équilibre. La performance fait sa valise. Éros entre vraiment en scène et c'est vraiment pas mal ! Les yeux mouillent et bandent d'abord. Le sexe suit. Les orgasmes sont moins fulgurants : ils se déploient, imprègnent le corps, le squattent, jusqu'au suivant. Pour accéder à cette plénitude érotique, il faut avoir déboulonné les mythes réservant le sexe aux lisses, jeunes, en santé, riches, bronzées, reconstituées… Il faut garder à l'esprit que l'ingrédient fondamental de l'érotisme est le mouvement, que le vivant est érotisant et que le statique est mortifère. Je connais des femmes qui ont commencé à faire l'amour la lumière allumée seulement après 50 ou 60 ans. Non pas parce qu'elles étrennaient un nouveau vagin ou de nouveaux seins, mais parce qu'elles venaient enfin de faire la paix avec leur corps, de considérer qu'il était digne et riche d'expériences à partager. Elles venaient de cesser de s'observer baisant pour commencer à s'abandonner réellement. Alors, les femmes âgées ont-elles un sexe? Toutes les femmes vivantes en ont un, aussi vivant qu'elles. «Pour les hommes, le sexe finit quelques jours après la mort!» me disait récemment un octogénaire déluré, lors d'une conférence. Je n'ai pas contredit son optimisme... Qui sait s'il n'a pas raison? Peut-être que la vie après la vie, s'il en est une, est un enfer de volupté...

Avec l'espérance de vie qui augmente, les Français[81] pensent que le sexe a de beaux jours devant lui. Cinq personnes sur six considèrent qu'il n'y a pas d'âge pour la sexualité. Quant à la sixième personne, qui pense que la bagatelle a une fin, elle fixe à 73 ans l'âge où l'on doit accrocher ses patins. Il est intéressant de noter que la proportion des jusqu'au-boutistes du sexe est sensiblement plus élevée chez les personnes vivant en couple. Comme si l'on considérait que l'autoérotisme et les fantasmes n'étaient pas les ingrédients d'une «vraie» sexualité... Comme si, aussi, les sondés avaient voulu donner une «bonne réponse», une réponse socialement acceptable aux sondeurs. On croirait donc que tout baigne et que nos sociétés accueillent sans difficulté l'épanouissement érotique des personnes de tout âge, mais ça n'est pas vrai. Il y a encore un tabou énorme. Suffit de voir la réaction des enfants de 40 ans quand leur papa ou leur maman de 75 ans tombe en amour ou prend un amant...

La sexualité, c'est comme un thème musical avec des variations de l'expression et de l'interprétation qui sont propres à chacune, selon les épisodes et les circonstances de la vie. À tout moment, elle peut s'emballer, s'estomper, trébucher, se taire, puis... refaire surface. Patauger, fuir, bondir fougueusement, emprunter des détours inattendus... Elle se tait irrémédiablement avec la fin du dernier acte, lorsque le musicien ou la musicienne quitte la scène de la vie.

Histoire de tâter le pouls de mon sujet, j'ai fait le même exercice que j'avais fait pour la beauté et j'ai recherché sur le Web «Femmes de 50 et + et sexualité». Résultat: des milliers de pages annonçant «vieilles salopes en manque de queue», ou «femmes de 50 ans qui adorent se faire enculer», ou «vieilles suceuses édentées infatigables», des trucs comme ça. À peu près rien d'autre. Le mythe de la vierge et de la putain est infatigable. Dans l'imagerie populaire, la femme mûre-mûre est soit une mémé auréolée, soit une vieille nympho. Éros et Vénus ont beau ouvrir leurs bras à l'humanité entière, nos univers ségrégationnistes claquent les portes de la beauté et de l'érotisme sur le nez des femmes moins jeunes. Comme quoi il y a un abîme entre reconnaître qu'une chose existe théoriquement et l'accueil réservé, dans le réel et dans l'affectif, à cette composante. Inutile d'appeler le serrurier ! C'est à la femme vintage elle-même qu'il revient de déverrouiller ces portes closes.

Le désir en chantier ?

Le désir émane de l'intérieur. C'est une impulsion intrapsychique qui se matérialise ensuite dans le corps. Jamais le fait d'avoir un sexe dernier cri, fût-il choisi dans le catalogue de vulves et de vagins du plus célèbre fabricant de la planète, n'échauffera votre appétit érotique ou celui de la personne convoitée. Les Drs Jackson[82] de ce monde auront beau sculpter dans vos muqueuses de chair la vulve « idéale », selon une photo tirée d'Internet ou d'un magazine porno que vous lui auriez apportée, il ne fera jamais de vous la femme idéale avec une chatte de rêve. Jackson et ses acolytes vantent et vendent les vertus de leurs chantiers de rénovation intime, sous prétexte que les femmes se retrouvent avec un vagin lâche avec le temps. Il va jusqu'à prétendre que leur plaisir sexuel sera décuplé... Quelle supercherie ! Aucune étude sérieuse n'a jamais démontré qu'un vagin remodelé ou resserré améliorait la jouissance féminine ! Et puis, à qui donc peut servir cet étroit fourreau à quéquette ? « On ne touche pas au clitoris ! » se défendent les gourous du vagin infantilisé. Allons donc, on sait maintenant que le clitoris est bien plus intérieur qu'extérieur et que ses milliers de fibres nerveuses, sous les muqueuses, peuvent être atteintes par le scalpel !

L'évangile des vendeurs de *new-sex* : conquérir le marché des femmes crédules et complexées par leur intimité génitale en décrétant que seuls bistouris et lasers sont salvateurs et efficaces. On dénigre sournoisement les exercices de Kegel*, tout simples, qui renforcent et retendent le périnée, ce hamac de muscles qui s'attachent au pubis devant et au coccyx derrière. Ce faisant, on minimise le pouvoir réel des femmes de s'approprier leur corps, leurs voies érotiques et leur libido, ce que pourtant elles peuvent faire à tout âge, à la condition d'y consacrer un peu de temps, et pour peu qu'elles ne perdent pas contact avec elles-mêmes et qu'elles se fassent confiance. On prend vraiment les femmes pour des tartes de première en leur faisant croire que c'est un formidable pouvoir de participer au design de leur nouveau look génital, choisi dans le catalogue de foufounes Matlock[83].

En clair, le procédé de vente joue à plein sur deux plans. D'abord, sur la perception négative qu'ont les femmes de leur sexe. Ensuite, sur l'incongruité qu'il y aurait à se faire refaire la face sans se faire refaire la vulve ! Soyons cohérentes : à 50 ans, la femme ne va pas offrir à l'amant la vue d'une frimousse de jouvencelle et d'une chatte de grand-mère ! Même sans le vouloir, société, environnement, éducation et famille ont bien appris aux femmes à considérer leur vagin comme un cloaque inquiétant, puant, laid, sale et mal foutu. Contrairement à ce qu'on pourrait croire, cela est encore vrai aujourd'hui pour les jeunes filles obsédées d'épilation, de masquage d'odeurs, de lissage et de ponçage, bien plus exposées que leurs mères à la pornographie qui leur propose un modèle standardisé de vulve et de vagin : infantiles mais gonflés, roses, lustrés ; petites lèvres stéréotypées et bien blotties dans l'antre des grandes. Si on ne parvient pas à renverser la vapeur et que la dérive s'accentue, toutes les femmes de 45 ans et plus auront bientôt un visage et une vulve à peu près uniformes. Adieu unicité, originalité, singularité ! Je me souviens d'avoir donné des leçons d'éducation sexuelle à des petites filles en leur disant à peu près ceci : « C'est fascinant ! Nous avons toutes deux yeux, un nez, une bouche,

* Les exercices de Kegel, ainsi nommés d'après le Dr Arnold Kegel, visent à renforcer le muscle pubo-coccygien et à augmenter le plaisir sexuel féminin. Il s'agit de contractions et de décontractions alternées du plancher pelvien. En fait, Kegel n'a rien inventé, puisque les moines taoïstes avaient, dans la Chine ancienne, développé des exercices de qi-gong pour tonifier la même zone.

mais on ne se ressemble pas. Chacune a un grain de peau, un teint, des particularités raciales et génétiques qui lui donnent un visage unique. C'est la même chose pour les organes génitaux féminins : chacune a un clitoris, un orifice vaginal, des petites lèvres, des grandes lèvres, mais chaque vulve est unique, avec une configuration qui lui est propre, une couleur et une texture de muqueuses qui varient... »

Qu'est-ce qui fait qu'une femme reste attrayante, peu importe le nombre des années, pour un prince charmé ou à charmer ? Il n'y a pas de règle unique. Et, si tout n'est pas hormonal ou génétique, tout n'est certes pas chirurgical ! Quand j'observe les femmes de tout âge autour de moi, force est de reconnaître que les contributions de la chirurgie esthétique ont finalement bien peu d'influence sur le *sex-appeal*, sur la confiance en soi ou sur l'estime personnelle. Le problème est ailleurs. Inutile, donc, de croire les sornettes voulant que, pour mieux jouir, il nous faut une vulve juvénile sous des tétons de nourrice. Un jour, si nous durons et atteignons le grand âge, la plupart d'entre nous porteront des couches. Que d'autres devront changer. Déjà que je ne supporte pas cette déshumanisante possibilité, je trouverais intolérablement gênant d'exhiber, de surcroît, une zézette de bébé, le frais potelé en moins.

Encore une fois, je trouve simpliste d'évoquer la notion de libre choix pour dédouaner les nympho-vaginoplasties et autres chirurgies génitales de leur parenté avec les mutilations féminines. La pression sociale, culturelle et médiatique est une réelle dictature qui conduit les femmes à se conformer à une représentation de la normalité et de la beauté, tout en leur donnant l'impression d'agir en toute liberté[84]. Ainsi va notre époque, toute en excès et en contradictions. Aussi lamentable qu'extraordinaire, aussi sombre que lumineuse. Jusqu'où laisserons-nous certaines dérives nous charrier ? Il est devenu bien plus facile de changer les faits de nature que ceux de culture. Triturer, déconstruire, transformer, rabouter et rebâtir dans la chair est plus commode, plus immédiat — et plus rentable — que de changer les mœurs sociales et culturelles à l'égard de l'intimité sexuelle et à l'égard de la femme, surtout de la femme mûre-mûre.

Les hommes viennent des limbes, les femmes aussi !

Je me suis retrouvée il n'y a pas si longtemps avec six autres commères. Des vintage et des non-vintage, à l'occasion du 59e anniversaire de l'une d'elles. Francine, la jubilaire, nous raconta qu'à défaut de la torride journée rêvée avec une bête d'amour et de sexe, elle avait passé l'après-midi à se faire masser et dorloter.

« La bête n'était pas au rendez-vous. La belle non plus, d'ailleurs ! J'ai dû me sustenter autrement ! » dit-elle dans un éclat de rire bien arrosé. Le quotient intellectuel collectif diminuant au prorata des infusions éthyliques absorbées, nous avons ergoté sur le fait que les femmes ne se font jamais offrir le petit « extra » auquel les hommes ont parfois accès dans les salons de massage, même les plus réglos…

« Parce que nous ne sommes pas considérées comme des êtres sexuels et désirants, mais toujours comme de grandes romantiques », clame l'une.

« Pas d'appel de la chair chez les plus-que-quinquas ? vocifère une autre. Mon œil ! Pour ne pas dire mon cul !!! »

« Il n'y a pas d'offre parce qu'il n'y a pas de demande, conclut la femme d'affaires de la bande. Tout est une question de marché. »

« Ce qui ne veut pas dire, poursuit Francine, qu'il n'y a pas d'envie. Nous sommes incapables de casser le moule du romantisme dans lequel nous nous sommes enfermées. »

« Quand même ! me suis-je écriée, quand je me fais malaxer pendant une heure par de souples et chaudes patoches, j'ai beau être pas mal attisée à la fin, jamais je ne paierais pour un dénouement plus intimiste ! »

« Mais, mais… Si c'était gratos, hem… hein ? » de rajouter Francine.

« Encore moins, j'aurais l'impression qu'on me fait la charité ! »

Nous avons finalement établi un consensus : ces « services » en sus, qu'il nous appartiendrait de décliner, devraient nous être proposés.

Qu'est-ce qui est normal, acceptable ? Ce qui l'est pour un homme l'est-il pour une femme ? Et, si oui, indépendamment de l'âge de la femme ? Et qu'est-ce qui ne l'est pas ? Pour ma part, je crois que les hommes et les femmes sont bien plus semblables que différents et que c'est une injure à l'intelligence de clamer qu'hommes et femmes sont si différents qu'ils ne se comprendront jamais. Si c'était vrai, les couples homosexuels dureraient jusqu'à la fin des temps, non ? Ce ne sont pas les différences entre les hommes et les femmes qui compliquent la vie de couple, c'est le partage de l'intimité et la capacité de durer dans un univers jetable !

À quel âge est-on vieux ? Quand devient-on un adulte ? À quel âge peut-on commencer une vie sexuelle active ? À quel âge ça finit... ? Cela fait plus de 30 ans que j'entends ce genre de questions pour lesquelles il n'y a pas de réponse toute faite. Homme ou femme, on peut être désillusionné à 16 ans, candide à 40 et intrépide à 80 ! Je dirais, pour les besoins de l'exercice, qu'on est vieux, vieille, quand on arrête, quand on n'a plus de projet, quand plus rien ne nous fait envie.

Enfin, la santé sexuelle fait partie intégrante de la vie et de la santé globale. La sexualité ne vieillit pas avec nous. C'est nous qui vieillissons avec notre sexualité. On continue d'être ce qu'on a été. On continue de devenir celle qu'on aurait aimé être. On ne perd pas nos moyens ; on atteint les limites de nos moyens. Des études sérieuses mettent de plus en plus en lumière le lien entre intérêt sexuel et intérêt pour la vie, entre santé sexuelle et santé intégrale. Le dénigrement ou la difficulté à accueillir l'expression sexuelle et érotique de la femme vieillissante masque nos préjugés et notre propre peur de vieillir. Il faudra bien un jour que le panorama érotique soit inclusif et démocratique. Comment peut-on prétendre que nous vivons à la fois sur la « planète des vieux » et dans un siècle *full* sexuel, et dans la même foulée interdire le jardin d'Éros à un important segment des habitantes de notre monde ? Cette propension aux doubles contraintes et aux messages antinomiques génère angoisse, ambivalence et anxiété. Cela explique certainement en partie pourquoi ce sont les personnes elles-mêmes qui renoncent, parfois dès 50-55 ans, à la dimension érotique, pourtant véritable moteur de bien-être, et qui en viennent à se poser comme les juges les plus intraitables de leurs pairs vivant ouvertement leur sexualité ou manifestant allègrement leur intérêt sexuel.

À 30 ans comme à 70, le lien érotique est systémique

Pendant plusieurs années, dont quelques-unes de trop, j'ai été en couple avec Henri Leparfait. C'était dans une ancienne vie. Blond. Grand. Yeux océaniques. À 40 ans, il avait un corps d'adolescent, svelte et musclé, était habité d'une douceur inquiétante. Trop de douceur m'inquiète toujours. Alors que toutes mes copines en pinçaient pour lui, que toutes les femmes, de 10 à 90 ans, se pâmaient sur lui, moi, je fantasmais d'un homme moins grand, moins blond, moins parfait, moins chevelu, moins pâle, moins svelte, moins… Je n'aimais pas l'embrasser. C'est tout dire. Au premier baiser supposément passionné, j'aurais dû comprendre que, malgré sa belle gueule et son écœurante gentillesse, il ne pouvait être ni mon âme sœur ni mon corps frère. Sa bouche, ses lèvres pourtant bien charnues, sa langue, tout son attirail buccal était mou, sans énergie, sans musculature… Quand il sortait la langue pour rouler une pelle, on aurait dit qu'il n'y avait rien autour, que cette lamelle de peau, effilée et pointue, sortait d'une caverne ou, pire, d'un serpent. Il n'était pas mauvais baiseur pourtant, il aimait le sexe. Les hommes qui aiment vraiment le sexe sont bien plus rares qu'on ne le croit. Plusieurs aiment surtout voir leur phallus érigé, contempler son reflet dans la prunelle de la femme, et, avec ce phallus, boucher des orifices.

Henri, donc, bandait solide et longtemps, lentement. Il pouvait me siroter la moule durant des heures si je le laissais s'y sustenter. Il variait sans problème les formats et positions érotiques et s'y sentait à l'aise. Il sentait bon, me couvrait de désir et de déclarations d'amour et d'admiration. J'ai tout fait pour l'aimer, pour m'enticher de lui, me passionner pour lui. Quelque chose ne devait pas tourner rond chez moi, puisque je ne perdais pas la tête. Je ne la perdis jamais. C'est ainsi. Je n'ai jamais éprouvé de réels transports passionnels avec lui, alors que je peux être littéralement ravagée de désir. Nous formions une paire de corps fonctionnels. Je fonctionnais. Comme une machine bien huilée, pourvue de toutes les pièces nécessaires et dont la mise au point est bien réglée. J'avais ce que j'appelle des orgasmes de garage, mécaniques. Malgré sa beauté, sa conformité aux canons culturels de beauté, je n'ai jamais eu faim de lui. Je prenais mon pied sans perdre pied. Phéromones incompatibles? Atomes pas fourchus? Je n'en sais trop rien. Je ne l'aimais pas assez. Ce chapitre de vie m'a fait comprendre à quel point la satisfaction est directement liée à la relation avec l'autre; et combien la qualité du lien, érotique et amoureux, dépend de la fusion harmonieuse et globale de deux systèmes, ce qui n'a rien à voir avec la prouesse, l'ajustement de pièces anatomiques ou la perfection des corps.

Entre Gwen et Henri, les pièces anatomiques s'ajustaient bien, mais les systèmes ne fusionnaient pas. Certains systèmes humains, à l'instar des planètes, ne s'alignent jamais, ne se mettent pas en phase. D'autres mettent du temps à le faire, à syntoniser la bonne chaîne érotique. C'est souvent autour de la cinquantaine que l'on constate que le sexuel ne détermine pas les rapports qu'on a avec nos semblables, mais qu'il les révèle. Ceux qui décrètent que l'intérêt sexuel meurt en vieillissant disent n'importe quoi. Ce n'est pas parce qu'on ne ressent pas une disposition qu'elle n'existe pas. Ce qu'on peut affirmer, c'est que l'intérêt sexuel se transforme, qu'il s'adoucit chez certaines personnes. Parmi les femmes qui m'entourent, nombreuses sont celles qui n'ont jamais eu autant d'intérêt pour la chose que depuis qu'elles touchent ou dépassent la ligne des quinquas ou des sexagénaires. Elles disent éprouver un désir nouveau, rafraîchi, fait d'ouverture et de vastitude, un désir qui peut se suffire à lui-même, dont la réalisation n'est pas impérative. Les prouesses, exploits et obligations ont fait leur valise.

Le principal problème des femmes après la ménopause n'est pas sexuel. La carence en libido, conséquente à une insuffisance hormonale — à laquelle on peut remédier —, est une explication bien courte pour expliquer la chute d'intérêt érotique. On ne peut réduire l'être humain à une pelletée d'hormones, ni la sexualité à une gymnastique génitale, ni le vagin à une piste d'envol à dégivrer avant le décollage[85]. Si on fait abstraction des ennuis de santé, la femme qui a une forte énergie vitale, qui aime la vie et qui aime sa vie, conservera le goût du sexe, quelle que soit la courbe de ses ablutions hormonales… Une « petite jeune vieille » qui le désire peut réveiller sa libido, mais à une double condition : se défaire du sentiment de ne plus être concernée par la totalité des dimensions de la vie ; et recouvrer une perception positive de son propre corps. Le malaise, la gêne ou même la honte que certaines éprouvent à l'égard de leur corps constituent des handicaps majeurs pour de nombreuses femmes vieillissantes.

Mon amie Diane, pétillante veuve de 67 ans, vit depuis peu une histoire d'amour et de désir renouvelé. Elle a envie, autant que son amoureux, d'intimité érotique. Mais elle est incapable de s'imaginer nue devant son soupirant et se lamente : « Je ne suis pas montrable ! Pas regardable. Toute fripée, toute mollassonne… » Même scénario pour ma sœur Aimée qui craint de se dénuder devant son nouveau chéri : « Je suis attirante tout habillée, mais quand il va voir mes cuisses, oh là là, il va déchanter… Elles sont lourdes et picotées. En plus, depuis mon opération au sein, j'ai un mamelon introverti et un sein qui pointe à l'ouest… » Je sais qu'elle exagère toujours et je connais sa géographie mammaire, alors j'ai plaisanté : « Ouais, c'est vrai qu'avec des seins qui biglent, il croira que tu t'es payé une chirurgie mammaire pour le faire craquer et que c'est un peu raté… Et ta tétine occidentale, peut-être qu'elle sent qu'à l'ouest y'a du nouveau… Quant à ton amoureux, tu ne crois quand même pas qu'à 68 ans il sera monté comme un âne et qu'il t'offrira des testicules retroussés de jeune bouc ! En ce moment même, il doit être dans le même état que toi, pris d'une terrible trouille aux couilles. »

Les hommes angoissent eux aussi sur leur bandaison incertaine, sur leur brioche de gras trans, sur la peur de décevoir... Il faut extraire de notre esprit le message que nous a martelé l'univers consumériste et porno, avec son propos, ses images, ses femmes, monstres de beauté, ses hommes, machines à performer. Le rapprochement intime n'est pas une arène d'exhibitionnisme, de voyeurisme, de *spectatoring*, d'ajustements mécaniques, de remplissages d'orifices où devraient dominer les « je me montre et je m'étale » et les « tu m'admires et tu te pâmes ». Rencontrons-nous dans la pénombre si celle-ci détend et réconforte. Et rappelons-nous que, sauf pour les jeunes proies entre les griffes des femmes-couguars, les hommes ne sont pas plus des éphèbes que nous ne sommes des nymphettes. Eux aussi sont sous l'emprise de l'anxiété de performance et sous le joug du culte de la jeunesse. Quelle importance, si la joie de partager et d'être ensemble est au rendez-vous ? Les êtres humains qui méritent cette appellation ne font pas tac-tac avec un corps-machine. Ils vont à la rencontre d'un autre être humain.

L'expression sexuelle fluctue selon les épisodes chronologiques de la vie, mais aussi selon une multitude d'autres facteurs : vie de couple, atomes libidinaux crochus avec l'amoureux, partenaire érotique disponible, permissivité ou fermeture du milieu, occasions, état de santé, image et estime de soi, etc. Et puis, il faut savoir que de nombreuses jeunes femmes éprouvent des difficultés sexuelles malgré des hormones dans le plafond et une silhouette de *porn star*, alors que bien des « vieillardes » d'un demi-siècle et + sont aux prises avec une libido débridée et un corps plus craqué que craquant ! Comme je l'ai écrit plus haut, je ne nie pas qu'il existe une relation entre le désir sexuel et les hormones. Je maintiens que cette influence, tyrannique chez les animaux, s'est grandement diluée avec l'évolution de l'espèce humaine. Chez nous, elle est une composante parmi d'autres, tels les normes, l'espoir, l'éducation, la quête de plénitude, les fantasmes, les sentiments, le goût d'être plus proche que proche...

Quel dommage et quel gaspillage que des femmes se privent de rapprochements intimes dont elles ont envie, sous prétexte qu'elles ne sont pas à la hauteur, qu'elles sont trop ceci, pas assez cela!

Par contre, le contraire, c'est-à-dire s'y efforcer sans désir, n'est guère mieux. Un joueur nouveau a fait son entrée dans l'univers érotique des couples d'âge mûr ou mûr-mûr: le Viagra. Ce support à l'érection ne doit pas empêcher d'écouter son propre désir. Bravo, si la petite pilule bleue sert les amants, mais tout est irrémédiablement gâché si elle transforme le plaisir en injonction. «Bon, v'là Gaston bandé, il faut baiser!» J'ai entendu des confidences de femmes s'efforçant de se mettre au diapason de l'amant qui carbure trop goulûment au Viagra. S'obliger à une partie de jambes en l'air parce que Victor a pris sa pilule est aussi inacceptable que de forcer Victor à la bagatelle parce que madame est en transe érotique.

Ce qui fait qu'un être humain nous émerveille et continue de nous émerveiller n'a rien à voir avec l'âge. Grâce à des je-ne-sais-quoi – petits crochets aimantés, grains de peau apparentés, sensibilités alliées –, Dimitri et moi nous retrouvons, le plus clair de notre temps, à une croisée confortable, entre nos deux âges chrono. J'ai 61 ans. Lui, 49. Ensemble, nous formons une personne emblématique, celle de notre couple, et cette personne a 55 ans. Sans effort et sans que sa volonté y soit pour quelque chose, il me retient plaisamment en arrière, près de lui, dans l'après-midi. Sans le vouloir ou même le souhaiter, je le tire sensuellement en avant, vers moi, dans le soleil couchant. Parfois, en blague, il me dit: «Quand nous aurons 76 ans...» Je sais alors qu'il évoque mes 82 printemps et ses 70 automnes. Du coup, cela m'apaise et, en même temps, me fait un peu peur. Je ne suis pas libérée de la peur. Je ne le serai jamais totalement. Je la mate, l'empêche de me neutraliser, au jour le jour.

Je suis passionnée. Mon travail, le travail de mon homme, les voyages, les lectures et les découvertes, le bonheur de voir s'épanouir la beauté et l'intelligence de ma fille et de ma petite-fille, la solidité et la joyeuseté de mes amitiés, la nature... L'enthousiasme de vivre, d'agir, d'avoir une place, la mienne. Jamais je n'ai tant savouré la vie, ma vie. J'aime ce que je fais mais, surtout, j'aime ne pas faire ce que je ne fais pas... Cela, ne pas faire ce qu'on n'a pas envie de faire, c'est vraiment un rare bonheur. Ça ne se dit presque pas comme c'est bon. Et l'érotisme, cet agent naturel de conservation... La combinaison d'antioxydants, d'oméga-3 et de thé vert japonais n'est rien en comparaison. Ne nous laissons pas mettre en boîte, berner et scléroser par les clivages d'âge qui divisent l'humanité et nous appauvrissent.

Le regard de l'autre : commutateur et détonateur

L'être humain est comme un sapin de Noël. Quand des yeux affectueux se posent sur lui, il s'illumine. Le regard de l'autre est un commutateur. J'avais à peine 30 ans quand j'ai constaté cette magie du lien, alors que je travaillais dans un foyer de « petits vieux » où on m'avait demandé de faire une collecte de données quant aux besoins des « bénéficiaires »... Le rapport que j'avais remis à la direction avait provoqué une vraie révolution : les résidants se cachaient dans la lingerie et dans la chapelle pour se faire des câlins interdits. J'avais un contrat de quelques semaines ; on m'a réquisitionnée pendant plus d'un an. Le temps d'apprendre aux équipes soignantes à prendre en compte la sexualité de ces personnes dans leur plan de traitement, d'en faire d'emblée un objet de considération et d'analyse. Ces hommes et ces femmes, quels que soient leur âge et leur fragilité, prenaient un sacré coup de jeune et de mieux aussitôt qu'une relation affectueuse, accueillante, s'installait. Alors, imaginez quand ils tombaient en amour, ou en désir, et que cette fougue était partagée ! Le regard de l'autre est un commutateur, puis un détonateur.

L'enfer, c'est toujours les autres. Le ciel aussi. Leur attention ou leur indifférence, leur chaleur ou leur froideur, leur amitié ou leur détachement, leur départ ou leur arrivée dans notre vie, leur jeunesse ou leur vieillesse, leur présence ou leur absence, leur maladie ou leur santé, leur amour ou leur haine, leur vie ou leur mort... S'il n'y avait pas les autres, si nous étions seuls sur notre planète comme l'allumeur de réverbère du *Petit Prince*, ce serait le calme plat. Et l'insignifiance. Il n'y aurait ni malheurs ni bonheurs. Même dans nos univers individualistes et nombrilistes, nous nous définissons par et pour les autres, nous sommes soit en opposition, soit en complémentarité avec eux. Les autres comptent. Toujours. C'est pour cela que nous sommes si soucieux de l'image que nous projetons ou que nous souhaitons projeter de nous-mêmes.

Solitude ou solitude résidentielle?

Que l'on soit jeune ou moins jeune, vivre à deux est difficile. Tout autant que de vivre seule. Je ne comprends pas cette manie de croire que le célibat, la vie en solo, constitue une déréliction. Solitude résidentielle ne signifie pas solitude existentielle. Ne pas être «en ménage» ne signifie pas être isolée. Cela suppose tout au plus qu'on ne partage pas son quotidien, son toit, ses petites manies intimes avec une autre personne. C'est une aberration de croire que tout ce qui ne s'inscrit pas dans le couple est abandon et isolement.

> *Les épisodes de ma vie où je n'étais pas la moitié d'un couple n'ont pas été des épisodes de solitude. Je n'ai jamais tant cultivé mes amitiés, profité de mes proches, voyagé, fait de sport, fréquenté théâtres et cinémas, mangé au resto, que dans mes périodes de célibat. J'ai une sœur qui n'est pas accompagnée, une veuve heureuse. Force est de constater qu'à de nombreux égards, c'est la personne la moins seule que je connaisse. À 68 ans, son carnet de bal déborde, elle mène une vie trépidante et ne sait plus que faire de ses prétendants. S'ennuyer? «Quel bonheur ce serait!» dit-elle[86].*

L'importance démesurée accordée à la vie de couple et à la relation amoureuse, lesquelles d'ailleurs ne sont pas inséparables, engendre une peur terrible de la solitude. Le couple a beau être une formidable aventure, il reste une construction bien trop fragile pour contenir tout le sens de la vie d'une personne.

J'aime bien cette image de Jules Bureau[87] qui dit que l'amour est le feuillage d'un arbre: «Ses feuilles vont et viennent sans que l'avenir et la continuité de l'arbre soient entravés.» Voyons l'amour réciproque entre deux êtres pour ce qu'il est: un cadeau de la vie, à durée variable, et non pas une raison de vivre! Homme ou femme, jeune ou vieux, toute personne qui rêve d'être en couple rêve d'être le numéro un pour une autre personne, celle qui compte le plus pour elle, qui est au centre de sa vie. Mais vivre seul comporte l'avantage d'être le numéro un pour soi-même, de se donner priorité sans… remords ni culpabilité. Et puis, comme la vie en solo laisse plus de latitude pour nourrir les relations amicales et affectives, on est souvent le bon numéro deux de plusieurs personnes qu'on estime. Ça, c'est la position juste à proximité du centre. Vraiment pas mal d'être au cœur de la vie de plusieurs personnes chères.

Il y a l'autre et le soi, la solidarité et la solitude. On a autant besoin d'être en relation que d'être en face-à-face avec soi-même. Il s'agit de trouver l'équilibre, sans craindre que la solitude nous anéantisse ou que les autres nous avalent. La relation de couple, si elle veut traverser le temps, doit laisser une large place à l'individu, à sa solitude. La vie de célibataire, pour être épanouissante, doit se nourrir d'autrui, de rapports interpersonnels significatifs. Que l'on vive seule ou accompagnée, il n'y a pas de nirvana perpétuel.

Je revenais d'une soirée avec Andrée, Danièle, Claudine et Hélène. On avait bien ri et bien déconné. Cinq femmes, toutes dans la cinquantaine à ce moment-là. Trois étaient libres et belles (oui, il y a de belles femmes libres!), désirables (oui, oui, désirables, même si nous avions le sentiment d'être les seules à nous en rendre compte…), intelligentes, pétillantes, disponibles, autonomes, cultivées (ça, tout le monde le remarque). J'étais dans un épisode de célibat serein et nous avions trinqué à mon anniversaire. À mon retour à la maison, dans ma boîte vocale, une dizaine de messages de bons vœux, et autant dans mon courrier électronique. Des messages touchants, chaleureux, qui m'avaient néanmoins fait suer au super-

latif: j'étais la plus belle, la plus fine, la plus intelligente des mères, des mamies, des amies, des collègues, des collaboratrices. Moi, malgré mon ravissement de femme libre, je me languissais d'une torride déclaration d'amour et je n'en avais rien à cirer des coucous électroniques et des bisous intersidéraux! Ça t'en fait une belle jambe, tous ces décrets d'amitié, quand tu te languis d'une paire de bras enveloppants et de te lover en cuillère. Avec le recul, je souris en y repensant: je n'étais le numéro un de personne; j'étais le numéro deux de plusieurs. Et, mis à part quelques spleens isolés, cela me convenait très bien ainsi.

Je remarque que les femmes célibataires autour de moi, jeunes ou vieilles, qui espèrent le prince charmant, ne font rien pour que celui-ci les trouve. Pire encore, on dirait que, depuis l'arrivée d'Internet, elles croient au père Noël. Leur ordi, leur BlackBerry ou leur iPhone est toujours au garde-à-vous, comme un amant souffrant de priapisme. Elles ne veulent rater aucun ping! annonçant l'arrivée d'un courriel, aucun commentaire sur leur blogue. Elles n'arrivent plus à prendre congé, à se déconnecter. Elles ne se donnent même plus la peine d'aller voir si le fiancé potentiel ne serait pas sur le balcon. Pourtant, que trouvons-nous surtout dans notre courrier électronique? Sur notre page Facebook? Banalités, pourriels, quelques histoires drôles ou salées, d'insipides chaînes de lettres qui nous garantissent qu'on deviendra riche et célèbre si on fait suivre, des trucs liés au travail, des clins d'œil de la smala amicale, des photos… Comment avons-nous pu, ou plutôt, pourquoi avons-nous développé une telle addiction aux messages électroniques? Comme si quelque chose de vraiment extraordinaire devait un jour nous arriver du cyberespace… Presque toutes sont suspendues comme des limaces à leur courrier électronique et à leur page perso par lesquels ne leur arrivent, depuis des années, à peu près que des virus et des âneries.

En revanche, c'est sûr qu'être amoureux peut faire éprouver une sensation de communion sans égale. Pas toujours, loin s'en faut, mais qu'est-ce que c'est bon quand on y est! L'amour et l'érotisme sont des voies d'accès à plus de bonheur, parmi d'autres. Quel plaisir aussi d'être amoureux de sa propre vie, des joies qu'elle procure, de son jardin de prédilection, d'une passion qui nous habite et nous donne pleine satisfaction... L'état d'amour et le potentiel d'amour ne fuient pas vers une autre galaxie parce qu'on n'est pas en couple. Ils demeurent bien présents en nous et autour de nous: dans la splendeur de la nature, dans l'engagement pour une cause, dans l'utilisation de nos forces créatives, dans le fait de nous consacrer sans retenue à nos passions. On tombe en amour avec la vie elle-même, plus encore quand celle-ci s'abrège. La vie et l'amour sont des vases communicants, en osmose. Plus on est proche de la vie, plus on est proche d'aimer et d'être aimé. Plus on aime, plus on se sent vivant et en bonne santé.

En avançant en âge, on dissémine çà et là des cellules cérébrales! Et puis après? Imaginons-nous comme une fleur ou un arbre qui, en se déployant, perd ses pétales ou ses branches devenues inutiles... Ce n'est pas le nombre de neurones qui compte, ce sont les connexions qui se font entre ces époustouflantes microcellules. Où est-ce que je m'en vais avec cet aparté sur les neurones dans un chapitre sur l'amour et sur la vie en solo ou en duo? J'essaie, maladroitement, de rappeler que la qualité vaut mille fois mieux que la quantité. Le nombre d'amants ou d'amoureux qu'on a eus ou même le nombre d'années passées avec une personne importent bien moins que la densité et la qualité du lien amoureux, érotique et complice qui nous réunit ou qui nous a réunis. Le fait d'être deux dans la salle de bains le matin ne donne pas plus de sens à la vie. C'est la valeur de la relation avec cette personne qui donne du sens et de la saveur à la vie. Un couple, s'il ne rend pas meilleur et plus heureux chaque individu de la paire, n'a pas sa raison d'être. N'oublions jamais qu'il y a des solitudes glorieuses.

Le couple dont je fais partie est loin du couple idéal. Parfois, il me tombe sur les nerfs. Il m'arrive de me demander s'il résisterait à une vie quotidienne sous le même toit, 12 mois par an. Notre modus vivendi *est idéal. Idéal pour nous. C'est normal que la personne qu'on aime le plus au monde soit aussi celle qui nous énerve le plus. Non seulement on connaît tous ses travers, mais en plus on vit avec! La vie commune est un tout inclus. Si vous vous entendez si bien avec votre sympathique voisin, ce n'est pas parce que vous êtes faits l'un pour l'autre, mais simplement parce que vous ne partagez pas son intimité. Cela dit, certains matins sont divins. Quand je paresse au lit et que mon homme m'ordonne: «Lève-toi et brille!», j'adore cette paire que nous formons, cet homme qui me fait rire. Alors, devant la glace, en me brossant les dents, je caquette comme une belle poule d'automne. Je vois mon visage et ma tête fissurés, craquelés d'usure. Je me raconte que cela permet à la lumière d'y entrer.*

Lève-toi et brille... Au moment où j'écris ce récurrent commandement dimitrien, je suis attablée comme un vrai gars décontracté dans un bistro. Avez-vous remarqué que les gars écrivent et travaillent bien plus facilement que les filles dans les cafés ou sur les terrasses? Enfin... Je suis attablée là et un inconnu d'une quarantaine d'années me distrait de mon texte en passant tout près de moi. L'air grave, son ordi portable en bandoulière. Hum... Mon genre: pas très grand, dodu sans être gras, presque chauve, cuivré, quelque chose de félin et de massif aussi. Un peu de gras, mais du gras dur. Une géométrie corporelle qui m'attirait déjà dans la trentaine, qui m'attire encore 30 ans plus tard. Oublions ma vingtaine, car à cet âge je ne savais pas encore ce qui m'érotisait... Le mec qui passe m'offre donc à contempler un corps qui me donne spontanément envie de me lover autour, de me vautrer dedans, qui m'a toujours allumée, ce qui étonnait mes amies qui en bavaient pour les grands blonds, puis pour les grands gris argentés, sveltes et chevelus. Il frôle ma chaise, la bouscule un peu en s'excusant. Nos regards se croisent, le mien est plein, le sien est vide. Il m'ignore. Pire, il me regarde avec l'œil droit[88]. Je l'observe pendant qu'il s'éloigne, je scrute son popotin, perdu dans un ample pantalon de lin. J'imagine des fesses bien rondes, des fesses pommes. J'ai toujours aimé que les hommes ne portent pas de pantalons seyants, moulant leurs attributs. Le pantalon spacieux m'inspire : il offre de la liberté, flotte comme le drapeau d'un territoire libre, autour de son mât, permet aux valseuses de… valser. Il me semble que l'attirail viril doit s'y sentir content de respirer. Par procuration, je me projette dans le ressenti de ce sexe ondoyant. Et si je me laisse porter par mes fantasmes, je me dédouble et deviens tour à tour objet et sujet : main qui saisit et secoue, petite bête qui se laisse prendre et ébranler… Ça n'est certes pas un hasard si les hommes que j'ai connus, qui m'ont vraiment inspirée sexuellement, étaient calqués sur ce prototype : pas trop grands, dodus, crâne dégarni, teint cuivré, queue moyenne en longueur mais d'un diamètre respectable, sympathique, naturellement circoncise – de sorte qu'un bout de gland pointe en constance –, fesses bien rondes, cuisses fortes, poitrine poilue avec un cordon velouté en V pointant vers le nombril… Vous voyez bien que j'en ai fini de croire les ritournelles réservant la galaxie érotique au clan des jeunes. Ces refrains antidémocratiques ne m'atteignent plus. D'ailleurs, celui sur l'hypersexualisation des jeunes masque, j'en suis certaine, tout en la renforçant, l'idée reçue d'une hyposexualisation des vieux (des vieilles, surtout !).

Vingt-quatre heures après cet incident bistro, je suis sur ma terrasse. Un homme, la bonne quarantaine, passe tout près de moi pendant que je pioche sur mon clavier. Je renifle son odeur avant de l'apercevoir : du bois et des agrumes. Hum… L'air sérieux, son portable en bandoulière. Mon type : pas très grand, dodu sans être gras, presque chauve, cuivré, quelque chose de félin et de massif aussi. Du gras, mais du gras dur. Un corps confortable dans lequel j'ai envie de me caler. Nos regards se croisent. Le sien est plein. Sa pupille se dilate. Il me regarde de l'œil gauche. Il bande de l'œil gauche. C'est mon homme. Je vis dans le regard de cet homme. C'est bon.

L'amour, l'affection, l'amitié sont des sentiments qui appartiennent à tous les êtres humains et qui sont susceptibles d'être éprouvés et partagés à tous les moments de la vie. La sexualité est une dimension humaine qui prend naissance dans le monde biologique et qui s'exprime à l'infini à travers les cultures, les époques, l'histoire et les arts. Présente comme caractère essentiel et déterminant depuis la naissance jusqu'à la mort, elle est une composante fondamentale de la personne, de l'existence, de la société. Parmi ses constituants : l'érotisme, les plaisirs sensuels, sensoriels et sexuels, la tendresse, le besoin d'être accueilli, d'être reconnu comme femme ou homme à part entière, jusqu'au bout de son histoire. Ghislaine Meunier-Tardif[89] parle de l'effet multiplicateur de l'amour, en référence à l'amour, charnel et non charnel, qu'éprouvent les vieux. Elle a bien raison. J'ai maintes fois constaté combien l'amour physique, la rencontre de l'amant tardif ou de l'amante inespérée, décuple les dispositions affectueuses et généreuses des amoureux à l'égard de leurs proches, marmaille et petite-marmaille, amis et voisins. Qu'on ait 15, 40, 65 ou 80 ans, la volupté, librement consentie et partagée, n'est jamais disgracieuse, jamais obscène, jamais anormale.

Les êtres humains vivent longtemps. Ils peuvent se passer de sexe durant des semaines, des années, et même toute leur vie. Ils peuvent aussi être d'ardents pratiquants, sans honte et sans remords, sans peur et sans reproche, jusqu'à la fin de leurs jours. Pour l'espèce humaine, tout le cycle de la vie est une vaste saison des amours ! Si on déboulonnait les préjugés âgistes, le désir érotique s'amplifierait plutôt que de s'étioler en vieillissant. J'en suis absolument convaincue : plus Orphée s'approche et nous drague, plus nous devrions, en toute logique, avoir envie de baiser et de fusionner. Faire l'amour est encore la meilleure façon de tirer la langue au vieillissement et à la mort.

Cinquième résolution

L'érotisme et l'ouverture aux autres sont des manières de célébrer la vie. On ne fait pas de neuf sans casser des moules. Tout cela est bien risqué, pensez-vous ? Ça l'est un peu. Un maudit beau risque, celui de la responsabilité de sa satisfaction. Si un chapitre ou deux de la vie méritent d'être joyeux, ce sont bien les derniers. Non ?

* * *

Désormais, je ferai en sorte d'être moins influençable, de mettre en place des mécanismes qui me conviennent pour barrer la route aux clichés, aux frustrés, aux *manques-à-jouir*, aux mal-aimés, aux carencés émotifs, aux jaloux qui me tendent une camisole de chasteté forcée.

Je baiserai si j'ai envie de baiser, je ferai l'amour s'il me chante de faire l'amour, j'aimerai si le cœur me dit d'aimer, je me donnerai du plaisir s'il me plaît de me donner du plaisir... Je voyagerai si l'air du large m'appelle, je mangerai si la fringale me prend, je dépenserai mon argent comme bon me semble.

Je ne laisserai personne, ni la société bien-pensante, ni mes enfants, ni mes parents, ni mon curé, ni mon gourou, ni mon psy, ni mon coach de vie, me dire quoi ressentir, quand m'émouvoir, comment vivre. Je ne serai plus jamais une morte vivante. Que je vive seule ou que je partage mon toit avec un compagnon ou une compagne, ce sera par libre choix. Et, si rien n'est parfait — rien n'est jamais parfait —, je m'arrangerai pour que l'imperfection soit douce, goûteuse, agréable, rieuse et bonne pour moi.

CHAPITRE 6

De sorcière à femme vintage

Après le nouveau monde, les nouveaux riches,
les nouveaux seins, le nouvel âge, les patates nouvelles,
le vin nouveau... voici venues les nouvelles vieilles.

On dit que la vérité sort de la bouche des enfants. Que pensent-ils des femmes vintage ? De leurs grands-mères, ces femmes de 50, 60 ans ? Je suis allée à la rencontre d'une dizaine d'entre eux, à la garderie et à l'école, et je leur ai demandé de me décrire, en langage écrit, parlé ou dessiné, leur grand-mère.

L'un d'eux, un bambin d'environ cinq ans, a dessiné un avion !

« C'est ta grand-mère, ça ??? »

— Ouais. Tu ne la vois donc pas ? m'a-t-il demandé comme si j'étais une nulle de chez nul. Elle est là. Là ! là ! regarde, me dit-il impatient, on l'aperçoit par le hublot !

— Ah oui, ai-je dit en mettant mes lunettes (alors que, évidemment, je distinguais à peine un semblant de hublot). Elle est en voyage ?

— Oui. Entre deux expéditions, elle me garde et me raconte ses aventures. »

Une fillette de six ou sept ans m'a décrit sa mamie : de grands yeux verts, des cheveux qui sentent bon comme du citron...

« Tu vas la voir plus tard, c'est elle qui va venir me chercher aujourd'hui, m'a-t-elle dit, ravie.

— Tu crois que je vais la reconnaître parce que tu m'as dit la couleur de ses yeux et l'odeur de ses cheveux?

— Hum... Peut-être pas... Mais quand tu verras un pétard passer la porte, tu sauras que c'est elle!»

Une troisième gamine m'a confié que sa grand-mère est une femme sérieuse et très importante. «Pourtant, quand nous sommes ensemble, elle rit tellement qu'elle pleure! Elle m'écoute... C'est comme mon amie, même si on n'a pas le même âge.

— Elle est vieille?

— Non, elle est super jeune. Je sais pas son âge.

— Bon.

— Mais je crois qu'elle est plus vieille que maman.

Ouf!»

Mamie-boomeuse et femme libre

Avec le raz-de-marée de boomeuses qui accèdent en même temps au statut de grand-parentalité, ça change le portrait type de la grand-mère!

> *Quand j'évoque ma grand-mère paternelle – je n'ai pas connu mon aïeule maternelle –, je la vois couchée sous des draps blancs, dans un lieu lugubre, ou debout, sépulcrale, toute de noir vêtue. Crayeuse à l'horizontale ou grisâtre à la verticale, elle me faisait peur. Quand je pense qu'elle était alors à peine plus âgée que moi aujourd'hui, ça me semble invraisemblable. Et puis, alors que nous étions une vingtaine de marmots pour une seule frêle mémé, mon Adèle est unique et trône au centre d'une nuée de solides papis et de plantureuses mamies, tous pâmés sur elle...*

La plupart du temps, les grands-parents d'hier avaient, aussitôt ce statut acquis, un pied dans la tombe. Ceux d'aujourd'hui, je le vois bien autour de moi, forment une génération pivot, souvent pris en sandwich entre leurs enfants et leurs propres parents. Ces grands-mères ont 60 ans, 50 ans, souvent moins, et cela n'est pas dans leur nature de baby-boomeuses de passer inaperçues. Elles inventent le mode d'emploi de la « jeune vieille » en même temps que celui de la nouvelle grand-mère. Pour moi qui m'étonne chaque jour d'être grand-mère depuis déjà une quinzaine d'années, il a été radicalement impossible de prendre modèle sur mes grands-parents. J'ai dû créer, de toutes pièces, le mode d'emploi.

C'est la première fois dans l'histoire de l'humanité qu'on est obligé de dissocier la notion de vieillesse de celle de grand-parentalité. L'archétype du pépé vissé à sa pipe et à son perron ou de la mémé berçante, rongée par l'ostéoporose, est d'une époque révolue. Les grands-mères modernes roulent bien plus des hanches que du fauteuil roulant. Cette cuvée de mamies sont parfois plus olé olé que leur progéniture immédiate : elles ont vécu Woodstock, l'Osstidcho*, Mai 68, les Beatles, la Révolution tranquille**, les nuvites***, la crise d'Octobre****, la vie dans les communes, les *bed-in*, l'amour libre, les mariages *open*... Nombre de leurs petits-enfants se glorifient, au grand désespoir parfois de leurs parents — rejetons de ces boomeuses —, d'avoir un grand-père hippie et révolutionnaire, une grand-mère nudiste et féministe.

C'est également la première fois dans l'histoire que tant de générations coexistent, s'élargissent, interagissent, se définissent. Rareté hier, il est courant aujourd'hui qu'un enfant ait des arrière-grands-parents. Danaëlle, une adolescente que je connais, est la cinquième génération d'une fière lignée matrilinéaire. Son « arrière-arrière » n'a même pas 90 ans. « Elle est autonome, fière et coquette », me confie Dana, la petite-fille d'une jeune quinqua de mes amies. Elles ont récemment mangé

---

* Spectacle donné en 1968 et en 1969 à Montréal par Robert Charlebois, Louise Forestier, Mouffe, Yvon Deschamps et le Quatuor de jazz libre du Québec. L'Osstidcho révolutionna la chanson et la culture québécoises.

** Période de brusques changements sociopolitiques et culturels vécue par le Québec dans les années 1960.

*** Québécisme désignant des exhibitionnistes (généralement des hommes) qui profitent des rassemblements populaires (souvent des manifestations sportives) pour attirer l'attention en courant nus en public.

**** Suite d'événements sociaux et politiques survenus au Québec en octobre 1970. Les actions du Front de libération du Québec (FLQ) incitèrent alors le gouvernement fédéral canadien à recourir à la Loi sur les mesures de guerre.

au resto toutes les cinq. Les mamies-fées contemporaines, apparemment plus folles qu'un balai de sorcière et certes plus intrépides que ne l'étaient leurs mères au même âge, ne sont pas moins responsables et aimantes. Elles sont au contraire totalement éprises de leurs petits-enfants ! Une chose n'a pas changé dans ce siècle de grands bouleversements : la transmission matrilinéaire.

Du moins au Québec, il est frappant de constater que les enfants connaissent mieux leur grand-mère maternelle que paternelle. Souvent, ils se sentent aussi plus près de leur lignée maternelle. Cela s'explique aisément : sauf exception, la jeune maman est davantage portée vers sa mère que vers sa belle-mère. Comme c'est la femme qui gère encore les relations intrafamiliales, elle se référera spontanément à sa famille, et presque toujours les ascendants maternels interviendront davantage auprès des petits-enfants. De plus, les mères cultivent si fidèlement le souvenir qu'il n'est pas rare d'entendre un enfant parler d'un grand-parent maternel décédé avant sa naissance. S'agit-il d'un comportement compensatoire, la généalogie officielle ayant toujours caché les femmes dans le ramage patrimonial ? Il y a quand même belle lurette que les femmes ne sacrifient plus leur patronyme au profit de celui du mari — ce qui, étonnamment, se fait encore en Europe... Je suis toujours étonnée devant cette coutume et stupéfiée que la plupart des femmes de l'Hexagone s'entêtent, même après un divorce, à utiliser le nom de l'ex !!!

Ma mamoushka maternelle est morte bien avant ma naissance, alors que ma maman n'avait que cinq ans. Mais elle m'en a tellement parlé que j'ai le sentiment de l'avoir côtoyée, de connaître son visage, sa voix, sa démarche... J'ai cru que c'était la marque d'une époque, cette transmission des souvenirs ancestraux matrilinéaires, jusqu'à ce que Marlène, 20 ans, me détrompe. Elle parle de son grand-père maternel, de son allure, de ce qu'il aimait, de son travail, de son caractère, me raconte qu'il adorait la pêche tout comme elle. On jurerait qu'il a fait partie de sa vie, alors qu'elle ne l'a pas connu. Elle sait tout de lui par sa mère qui a affectueusement cultivé sa mémoire. Par contre, elle comme moi ne savons rien de nos grands-parents paternels (mon grand-papa, sa grand-maman) morts avant notre arrivée. Nos pères respectifs ne nous en ont jamais parlé. Mon père ne m'a jamais rien dit de son père, qui a quand même partagé sa vie durant 13 ans, et le père de Marlène a gardé le même silence à l'égard de sa mère. Comme ce sont les femmes qui cultivent davantage le souvenir, forcément, c'est la mémoire généalogique de la lignée maternelle qui se transvase de génération en génération.

On peut aussi supposer que le lien grand-mère / petit-enfant est tissé plus serré que celui du grand-père, notamment parce que les femmes vivent généralement plus longtemps, qu'elles sont plus disponibles et plus souvent sans conjoint. Il n'est pas rare en effet que le grand-père ait fondé une seconde famille où la nouvelle compagne soignera à son tour le souvenir de sa propre matrilinéarité. On peut imaginer aussi que les filles entretiennent des rapports plus étroits avec leur mère qu'avec leur père. N'oublions pas que les rapports conflictuels sont toujours des rapports étroits et chargés à bloc affectivement. Il est démontré que les nouvelles grands-mères s'investissent davantage auprès de leurs petits-enfants que ne l'ont fait leurs propres grands-mères auprès d'elles, et que ne l'ont fait leur propre mère auprès de leurs enfants à elles. N'est-ce pas un curieux phénomène ? Avec un horaire bien plus trépidant qu'autrefois, ces femmes qui ont conquis le marché du travail, lutté pour leurs droits, affirmé leur liberté sexuelle, s'activent fougueusement à tricoter, plutôt que des chaussettes, des relations significatives avec leur petite-marmaille ! Les divorces, séparations et secondes unions des hommes renforcent naturellement cette propension : le commando des nouvelles célibataires de 50 ans et + est composé de femmes qui sont forcément plus disponibles, ou qui ont une meilleure qualité de disponibilité, pour choyer leur descendance. Elles tissent des liens, tricotent de l'histoire et tressent le souvenir.

Écouter les enfants d'aujourd'hui raconter leur mère-grand est un pur délice. On y découvre un lien ludique, solide et détendu. «Je parle davantage de sexualité avec ma grand-mère qu'avec mes parents», m'ont souvent confié des ados. Le rapport grands-parents / petits-enfants qui est en voie de se créer est absolument inédit, à la fois respectueux et décontracté. Les boomeurs et boomeuses ayant toujours voulu tout changer, tout améliorer, tout remettre en question, tout révolutionner à chaque étape de leur existence, s'attaquent maintenant à la transformation du rapport transgénérationnel. Arrivés sur le versant décroissant de la montagne, les membres de la génération lyrique[90] conviennent enfin de leur finitude et de leur statut de mortels sans s'empêcher, fidèles à eux-mêmes, de vouloir marquer le souvenir de ceux et celles qui suivent en révolutionnant l'idée, le concept et l'expérience de la grand-parentalité.

En 2008, les 50-65 ans constituaient la tranche d'âge la plus importante des populations des pays développés. Très médiatisés depuis leur naissance, les boomers veulent, jusqu'à la fin, rester dans la lumière. Ce plateau de l'escalier généalogique qu'ils occupent — et les femmes encore plus, car elles vivent plus longtemps — aura de plus en plus des allures de podium plutôt que des airs de rez-de-jardin.

Mettre la retraite à la retraite

Le mot «retraite» est à repenser. Sans l'exclure du vocabulaire, il faudrait bannir ce qu'il cache et recouvre de recul, de solitude, d'isolement, de cessation d'activités... Dans *Le Petit Robert*, on dit de la retraite qu'elle est l'action de se retirer de la vie active et mondaine, de s'éloigner, de se mettre à l'écart. Voyons donc! On se retire en mourant, pas avant. Que l'on ait 55, 65 ou 75 ans, quand cessent les activités professionnelles, on fait habituellement autre chose: on change de cap, on se recycle et, surtout, la plupart du temps, on le fait autrement, mais on ne se «retire» pas. Comment peut-on se retirer de la vie??? Si vous ne bossez plus dans le domaine qui a été le vôtre et qu'on vous demande ce que vous faites, eh bien, répondez donc la vérité au lieu de vous proclamer «retraitée». Je suis golfeuse ou critique de théâtre, lectrice ou voyageuse, cruciverbiste ou paysagiste, paysanne ou yogiste, taïchiste ou œnologue, gardienne d'enfants ou animatrice de pastorale... Trouvez la formule qui vous convient: vacances à perpète, seconde carrière, réorientation...

Les mots peuvent être si vicieux et si réducteurs qu'ils influencent les perceptions. Ceux de la retraite sont des mots de Javel qui décolorent nos conduites, les pâlissent et les diluent. Il est trop facile de faire un impuissant d'un homme dont la fusée est momentanément au sol; une banquise d'une femme dont le désir est au frais. De ne plus voir que la faiblesse et les déficiences chez une personne fragilisée au lieu de voir ses forces et son potentiel. Se dire «retraitée», c'est comme reconnaître qu'on a fait son temps et qu'on n'est plus du côté de l'action et du vivant. De plus, c'est un mot vorace qui laisse subrepticement croire qu'on a tout déserté: le marché du travail, l'amour, la joie, la tristesse et la fête... La vie, quoi! Cela fait 30 ans que je clame et proclame le pouvoir fondateur des mots. Depuis la petite enfance jusqu'à la grande vieillesse, ils illuminent la perception de soi ou bien l'assombrissent. Quand on y pense bien, dire «je suis retraitée» équivaut à dire «j'ai capitulé!». On ne peut passer son temps à se définir comme étant «retirée» sans finir par disparaître! C'est difficile, j'en conviens, car, la plupart du temps, on a passé sa vie à s'identifier à un emploi et à une profession, et c'est à travers cela qu'on a été socialement reconnu. Il n'en tient qu'à nous de forcer la société à nous reconnaître autrement.

Une cuvée inédite

On ne se racontera pas de salades. Les quinquagénaires et + n'ont ni le teint de rose ni la fraîcheur potelée des jouvencelles. Ni la beauté éclatante des femmes en plein midi. Pas question donc de nier ici la splendeur explosive de la jeunesse, cette superbe de l'aube, avec son piquant, sa candeur, sa fougue et son impudeur. Pas question non plus de dénigrer le resplendissement de la femme adulte, ce plein jour aveuglant de lumière, si invitant de chaleur et de plénitude. Bien au contraire! Il s'agit de réhabiliter la beauté incontestable, bien que disconvenue, de la femme *soleil couchant*. Le corps et la vie humaine sont réchauffés par les quatre quadrants solaires d'une journée : le levant, de la naissance à la vingtaine ; le plein soleil, de la vingtaine à 45-50 ans ; le couchant, qui se décline graduellement dans les carnations de l'arc-en-ciel entre 50 et 75 ans ; puis le soleil étoilé de minuit, celui de la vieillesse.

*Bien vrai et bien dit ! Tous les hommes que j'ai connus, même les plus terre à terre, goûtent l'éclat mordoré, discret et poétique d'un soleil en déclin… Pourquoi donc sont-ils si peu enclins à apprécier les vertus et les bienfaits de la femme soleil couchant et à en profiter ? Cro-Magnon assistait déjà, en son temps, au coucher de l'astre solaire, mais il n'a jamais connu le bonheur d'honorer une femelle soleil couchant, puisqu'ils mouraient, tous deux, avant midi. Il est tout récent qu'*Homo sapiens *côtoie une femelle qui évolue aussi bellement, aussi tardivement. Pendant des millénaires, l'homme s'est reposé au soleil couchant et voilà qu'une femme pas reposante le tient réveillé. Peut-être est-il si ébaubi qu'il en perd ses moyens ? C'est la première fois dans l'histoire qu'il peut s'ébattre avec une friponne, lascive et blette Lucy. C'est bien mieux que de ronfler sa vie ! Et bien moins épuisant – et risqué – que de chercher obséquieusement un jeune ventre où déposer sa précaire semence. Voilà qui est nouveau ! Et les changements, c'est connu, dérangent et déstabilisent. Connu aussi que* sapiens *a une tendance antédiluvienne à se rassurer en répétant, en reproduisant la même histoire plutôt que d'innover. Il met du temps à s'ajuster, à ajuster sa lorgnette…*

La femme soleil couchant se contemple à l'œil nu, sans risque de s'aveugler. Elle ne précipite personne dans les affres du naufrage, car elle n'exerce ni ne réclame la performance. Elle s'est délestée de sa valise de clichés et de stéréotypes. Ne rivalisant pas, elle est sans émule, pleinement présente et participante. Elle est désirante et désirable, au sens étymologique : susceptible de désirer et d'être désirée. Elle donne du temps parce qu'elle en a peu. Elle donne à l'autre ce qu'il n'attend pas, puisqu'on ne peut attendre ce qu'on ne connaît pas. Quelle surprise que de se faire offrir l'inattendu!

La femme vintage est un grand cru paradoxal: saveur étonnante de petits fruits rouges, bien mûrs, et de champignons sauvages, bien à point. Un bouquet peu banal, plus volontiers apprécié par les aventuriers, les intrépides et les audacieux. C'est une amante poivrée, gingembrée, capiteuse, mûrie à souhait. Longue en bouche. Troublante. À découvrir. À classer parmi les inclassables. À déguster vitement et lentement comme un cépage nouveau, éphémère...

J'ai écrit plus haut que je souhaite «réhabiliter» la beauté des sibylles vieillissantes. «Réhabiliter» n'est pas le mot juste, puisqu'on ne peut rétablir ou réparer que ce qui a déjà existé, que ce qui a déjà été reconnu, approuvé, célébré. Or, la femme de plus de 50 ans, en forme et en beauté — la femme vintage —, est une créature toute récente. Il y a à peine un demi-siècle, elle était déjà très vieille à cet âge, quand elle n'avait pas déjà trépassé. Les mœurs et les mentalités ont souvent du retard sur les réalités. C'est le cas, une fois encore. Elles n'ont pas évolué au rythme de la nouvelle espérance de vie et elles sont assujetties, du moins sur le plan de l'intelligence affective, à la croyance selon laquelle après la ménopause — étape chronologique de la vie des femmes qui a, pendant des siècles, signé leur arrêt de mort — les femmes sont plus mortes que vivantes, puisque inféconde et infécondables. Aussi bien dire inexistantes. Il aurait été plus juste que j'écrive qu'il s'agit d'*établir* l'idée que la beauté se trouve aussi chez les quinquas et +, dans des déclinaisons et des coloris inédits, inexplorés, inconnus à ce jour.

Dans son roman *L'Écarlate*, Ghislaine Meunier-Tardif livre un ardent et élégant plaidoyer pour un érotisme démocratique et sans âge. *Elle*, son personnage féminin âgé de 72 ans, remet les pendules à l'heure d'une sexualité appartenant à toute l'humanité. De la pointe des orteils jusqu'au sommet de l'âme, son corps ne demande qu'à être secoué de bonheur. Toutes ses petites cellules s'éclatent de grands rires orgasmiques. *Elle* témoigne de sa détermination à rester du côté des vivants en se prévalant de toutes les prérogatives du vivant: aller vers l'autre, en l'occurrence *Lui,* et lui proposer, sans fausse pudeur, le plaisir, la sensualité, la folie érotique et la jouissance en partage.

La pétulance érotique des femmes vintage surprend un peu. Quand elle ne scandalise pas ! L'an dernier, j'ai été invitée à l'émission d'Anne-Marie Dussault[91] pour commenter une information publiée dans le *Globe and Mail*. Le point en question : augmentation notable des ITS (infections transmissibles sexuellement) chez les femmes de 50 à 65 ans, les boomeuses précisément. Quel bonheur, pour changer, que l'on aborde les comportements sexuels à risques des pépés et des mémés d'ados, plutôt que des adolescents eux-mêmes !!! Mauvaise nouvelle ? Oui, à certains égards. On peut présumer que les quinquagénaires et sexagénaires qui multiplient les partenaires sexuels ont un préjugé négatif à l'égard du petit compagnon en latex qui étire la vie, la santé et... le plaisir ! Ou encore, qu'ayant été en couple exclusif pendant de nombreuses années, ils n'ont pas appris à intégrer le préservatif à leurs jeux érotiques. Enfin, on peut aussi supposer qu'ils sont tout simplement fidèles au mythe qui leur colle aux fesses et qu'ils baignent dans la pensée magique de leur invulnérabilité et de leur immortalité...

Par ailleurs, aussi choquant que cela puisse paraître à première vue, c'est aussi une sacrée bonne nouvelle : ces vieux et ces vieilles ont encore un sexe et leurs galipettes ne sont pas strictement autoérotiques, sensuelles ou voyeuristes. Elles s'offrent en partage et sont accueillies, bestioles incluses ! Semblable information montre clairement, par la négative hélas !, que l'intérêt sexuel ne se pointe pas avec le tumulte pubertaire pour se barrer avec la traversée de la ménopause et le rééquilibrage hormonal qui l'accompagne. Bravo, donc, aux boomers qui ne se contentent pas de vivre leurs fantasmes par procuration en zieutant des inconnus qui forniquent sur le Net. Tant mieux s'ils ne retombent pas en enfance en jouant au docteur et à touche-pipi avec leur souris d'ordinateur. Hourra ! s'ils consument leurs précieuses minutes avec des êtres de chair et de sang, plutôt que de griller leurs nuits dans des clavardoirs érotiques. Et encore bravo si, pour ce faire, ils ne sont pas contraints de se soumettre aux illusoires diktats d'une éternelle jeunesse en se payant d'inutiles et inefficaces resserrements vaginaux ou augmentations péniennes. Il ne leur reste plus qu'à être un peu plus matures que leurs petits-fils et petites-filles soûlés d'hormones en intégrant la capote à leurs parties de jambes en l'air!

Précieuses substances et fausse guenon

Maintenant: que les *biologisants* de ce monde, qui se confortent en ramenant tout à l'univers animal et qui prétendent que les femmes inféondes ne sont plus que des femelles primates à l'agonie, aillent revisiter leurs sources! Elles sont loin d'être plus périmées que leurs *alter ego*, encore fertiles mais impuissants érectiles, carburant au Viagra ou éjaculateurs tardifs. La femelle humaine se distingue de sa cousine simienne par les longues et vigoureuses années de vie qui s'offrent à elle après l'arrêt de la fécondité. Chez l'humaine[92], seuls les ovaires se tarissent, alors que chez la *chimpanzette,* c'est tout l'organisme qui se flétrit et qui dépérit. À 40 ans, la guenon est usée comme le serait une humaine centenaire. Enfin, il n'est pas superflu de redire ici que les fonctions sexuelles et les capacités de plaisir déclinent bien moins chez la femme vieillissante que chez l'homme vieillissant. Si elle chouchoute son corps, véhicule des plaisirs, si elle se livre aux joies d'Éros, si elle nourrit son imaginaire érotique et si sa santé le lui permet, la femme orgasmique le demeurera. Son clitoris reste intact. Fidèle comme un bon petit soldat, il est performant et serviable jusqu'au bout du voyage. À 80 ans, si vous deviez choisir entre un corps fécond ou un corps jouissif, vous opteriez pour quoi? Moi aussi!

Pour la plupart des femmes vintage, il importe d'avoir trouvé l'équilibre hormonal qui convient. Sans être des produits de jouvence, les substances sexuelles endocrines en circulation dans l'organisme féminin ralentissent le déclin physiologique et psychologique. C'est pour cela qu'il faut les remplacer lorsqu'elles sont en chute libre après la ménopause. Combien de fois ai-je entendu des femmes de 50 et + se plaindre d'un vagin sec, d'un intérêt sexuel chancelant pour ne pas dire absent, de malaises constants et invalidants, d'un corps se froissant précipitamment malgré tous les petits pots de crème à 100 $ et malgré toutes les précautions… Ces femmes n'avaient pas encore retrouvé leur aplomb hormonal. La Société canadienne du cancer qui, j'en conviens, fait un formidable boulot, y va un peu fort en cultivant la peur de l'hormonothérapie de substitution. On retient de son message anxiogène qu'il ne faut opter pour les hormones de remplacement qu'en désespoir de cause, après avoir tout essayé, à la plus maigre dose possible, pendant la période la plus brève possible… Rarement a-t-on vu un médicament substitutif faire l'objet d'aussi sombres mises en garde et d'une telle campagne de peur. Comme la Dre Sylvie Demers[93], je crois que les hormones sexuelles de remplacement, sans être miraculeuses, jouent un rôle inestimable, essentiel à la qualité de vie des femmes. Avec la longévité accrue — une trentaine d'années après la ménopause —, nous serions folles de nous en passer quand il n'y a pas de contre-indications. Plutôt que de les diaboliser, trouvons l'assiette hormonale qui nous convient, en toute connaissance de cause. Il ne viendrait à l'esprit de personne de dire à un homme souffrant d'insomnie, de bouffées de chaleur, de douleurs généralisées, de naufrage libidinal et de sentiments dépressifs : « Allez, allez, mon p'tit monsieur, prenez du thé vert, diminuez le vin, mangez moins épicé et, de grâce, essayez de contrôler votre stress !!! » À une dame qui demandait quand elle devrait cesser de prendre ses hormones bio-identiques, l'infirmière de Sylvie Demers a rétorqué : « Quand vous en aurez assez de vous sentir bien, vous arrêterez[94]. »

Les mots du vieillir et l'adultescence

Les chercheurs ont recensé plusieurs causes du vieillissement et beaucoup sont convaincus que les percées de la biologie moléculaire viendront partiellement à bout de plusieurs d'entre elles. L'inventeur et futurologue Ray Kurzweil[95] estime que le XXIe siècle connaîtra l'équivalent de 20 000 ans d'avancées scientifiques ! On travaillera sans relâche à l'invention de pilules antivieillissement et à l'expérimentation de thérapies géniques susceptibles de trucider les gènes inutiles ou nuisibles.

Hélas! l'immortalité sur laquelle fantasment le plus sérieusement du monde plusieurs chercheurs-rêveurs n'est pas pour demain. Dommage! J'aimerais bien aider Gwendoline à raviver sa flamme passionnelle avec Dimitri, après 300 ans de vie conjugale! Ou consoler un ami qui viendrait d'être plaqué par sa douce au profit d'un jeunot de 230 ans! Pour ma part, en attendant le jour où la science pourra reprogrammer mon corps et ma tête, je ne suis pas prêtre à imiter Kurzweil qui, chaque jour, noie ses 250 comprimés de vitamines et de compléments alimentaires dans 10 tasses de thé vert!

Il y a 2000 ans, lorsqu'on a commencé à utiliser le calendrier de Juju (Jules César, évidemment), l'espérance de vie à Rome et au royaume d'Alba* était de 22 ans; 1900 ans plus tard, elle n'était encore que de 43 ans, tant en Amérique du Nord qu'en France. Voilà matière à jubiler d'avoir été largué dans ce siècle-ci, non? Aujourd'hui, 9 centenaires sur 10 sont des femmes. Et, avec les progrès de la santé publique, l'arrivée des vaccins et l'habileté récente à contrôler diabète, hypertension et cholestérol, celles qui ont la couenne dure vivront aisément jusqu'à 85-90 ans. En jetant un coup d'œil par-dessus notre épaule, c'est une vraie joie de constater que des choses autrefois « anormales » sont devenues ordinaires et banales. Il était farfelu au Moyen Âge de penser voyager dans le ciel, alors que pour nous l'avion et même la navette spatiale sont absolument ordinaires. En ce moment, si je délaisse mon traitement de texte pour faire un saut dans Internet, j'aperçois un clown québécois au gros pif rouge qui se balade dans l'espace[96].

Changer notre perception du vieillissement n'est pas une mince affaire: cela ne fait que quelques décennies, un saut de puce dans l'histoire du monde, que vieillesse et vieillissement s'accomplissent. Pendant des siècles, des millénaires, le cycle de la vie humaine se résumait à être un enfant, puis un adulte, puis une dépouille. Et puis, vlan! Voici que le XXIe siècle bosse sur l'éternité. L'éternité humaine et terrienne, et non pas l'éternité du ciel et de l'enfer dont on a martelé notre enfance. À mon humble avis, la meilleure méthode pour rester jeune est de

* Nom antique de la Grande-Bretagne actuelle.

rester amoureux du présent. Pas nostalgique de ce qui a été, pas anxieux de ce qui pourrait être : amoureux de ce qui est. Planter des tulipes dans son imaginaire plutôt que d'envier les pissenlits du voisin. Si on réussit ce difficile exercice de s'arracher du passé sans se propulser dans le lendemain, plus rien n'est probable ou prévisible. C'est terriblement agréable et follement inquiétant. À l'insécurité que génère d'abord cette pleine « présence au présent », succède un état d'intense et de féconde vitalité. Dans le non-planifié et l'inconnu, tout devient possible. Et c'est justement l'improbabilité d'une histoire qui non seulement la rend possible, mais qui lui donne éventuellement une valeur rare.

Peut-être n'avez-vous jamais remarqué qu'il n'y a que l'étape de l'existence appelée « *vie*illesse » qui contient la particule *vie* ? Cela a-t-il à voir avec le fait que plus on vieillit, plus on se sent vivant ? Enfance, adolescence, âge adulte ou maturité... aucune des appellations désignant les autres paliers chronologiques de la vie ne contient la syllabe *vie*. Comme si, aux échelons ascendants du parcours, nous n'en avions pas besoin, tout convaincus que nous sommes de notre vitalité et de notre vivacité, voire de notre immortalité. Et voilà qu'à l'étage de l'existence où l'on prend conscience de notre finitude et de nos limites, où l'on commence à les ressentir dans notre machine corporelle, la langue française insiste pour nous rappeler que nous sommes toujours vivants et du côté des vivants en nous étiquetant de *vie*ux et de *vie*illes.

Je refuse l'étiquette de vieille ou de *pré-vieille*. *Pré-vieille*... Vous ouïssez la vilaine sonorité de cette locution ? Son énormité ? *Pré-vieillesse*... Ainsi parlait un spécialiste de la vieillesse dont le nom m'échappe, invité récemment à l'émission de radio de Christiane Charette, au sujet des personnes de 50 à 65 ans. Se faire dire, par quelqu'un qui sait, qu'on est une pré-vieille à 50 ans, quel soufflet ! Qu'est-ce que c'est que ça ? Nous sommes, tous autant que nous sommes, depuis que la cigogne nous a lâchés dans un champ de choux ou de roses, des *pré-vieux*, des *pré-vieilles*, des *pré-morts* et des *pré-mortes* !!! Je me suis demandé si l'expert en vieux ne vendait pas, pour arrondir ses fins de mois, des pré-arrangements funéraires. Il disait pourtant des choses intelligentes et sensibles avec des mots si flapis que ça fatiguait l'essentiel de son message. Je revendique le titre d'*adultescente*, puis, éventuellement, quand j'aurai perdu les moyens que j'aurai mis toute une vie à atteindre, celui d'enfoirée. Je n'ai jamais trouvé logique que l'appellation « vieux » succède à « adolescent » et à « adulte ». Pourquoi pas les « adeptes » dont le sens premier signifie « parvenus au grand art » ; ou les « adhésifs », parce qu'on les trouve collants et qu'on ne sait plus comment s'en défaire ? Je badine. Mais je ne blague pas en proposant que l'on désigne du nom d'adultescents les 50 et +, pour bien montrer que, à défaut d'être des superhéros, les voici des superadultes. Cette dénomination a du sens, en plus de bien s'insérer sur la portée phonétique des vocables définissant les âges précédents — adolescents et adultes. On parle souvent des très vieux qui retombent en enfance*. Ne pourrait-on pas, dans l'esprit d'une succession harmonique, appeler ces pépés et ces mémés les « enfoirés » ? Entendez-vous la fluidité cartésienne de ma proposition ? Ouïssez-vous la psalmodie ontogénique syllabaire ?... **ENF**ants, **Ad**olescents, **Ad**ultes, **Ad**ultescents, **ENF**oirés. Sans compter que le mot **enf**oiré renvoie en douce à l'**enf**ance, puisqu'il signifie souillé et maladroit... Bon. Cette suggestion vous offense et vous pensez que je divague ? Que je suis grossière ? Qu'on y perd trop en poésie pour gagner en hyperréalisme ? Pas tant que cela. Moi, en tant que « pré-vieille », je préfère nettement être considérée comme une adultescente, si ce néologisme signifie être une adulte à l'excès ou une excessive adulte. Ensuite, en tant que « vraie vieille » ou que « post-vieille », j'ai nettement plus envie de faire partie d'un ludique bataillon d'enfoirées que d'un troupeau de « vieilles séniles ».

Soyons honnêtes : les substantifs « vieux » et « vieille » ne signifient absolument rien, puisqu'on commence à vieillir aussitôt qu'on voit le jour. Et puis, l'éphèbe de 14 ans est un gaillard expérimenté pour la bambine de 5 ans, alors que la trentenaire est un dinosaure aux yeux du premier... Que diable viennent faire les mots « vieux », « vieille » et « vieillesse » dans la dialectique linguistique de l'ontogenèse humaine ? À part

* « On ne retombe pas en enfance, on n'en sort jamais », dit Yasmina Khadra.

nous enfoncer dans la caboche que ces personnes font toujours partie de l'espèce humaine, qu'il faut s'efforcer de ne pas l'oublier et de les traiter comme telles, je ne vois pas. Mais, qu'on ne s'y méprenne pas ! Je suis loin de croire que vieillir est une fiction ou une partie de pur plaisir. Oh là là, que non ! J'estime au contraire que c'est bien assez pénible sans qu'on n'assaisonne la potée d'épices condescendantes et qu'on se laisse empoisonner l'existence de déférences fourbes !

Je suggère donc qu'on utilise désormais le verbe « vieillir » dans sa juste acception de grandir, d'évoluer, de s'affiner, de devenir plus expérimenté, et non dans le sens de décliner, de s'affaiblir, de déchoir... Un bébé vieillit. Un enfant grandit, vieillit ; il ne décline pas. C'est l'évidence. En conséquence, on devrait faire une utilisation parcimonieuse des mots « vieux » et « vieilles », qui sont tellement aléatoires, subjectifs et flous qu'ils sont vides de sens quand ce dernier n'est pas précisé. En accord avec les épisodes chronologiques de la vie, on devrait, après l'âge adulte, s'appeler « adultescents ». On référerait alors à un cycle nouveau du développement humain, succédant à l'adultisme (âge adulte), qui regrouperait les 55 à 75 ans. Ce n'est qu'à partir du port de la couche qu'on entrerait dans le cercle des enfoirés. Pas de couche ? Pas d'accès à ce cénacle !

Il ne faut pas croire que je me moque. Bon... peut-être un peu, mais c'est ma tête que je me paye aussi et ma situation imminente que je tente de dédramatiser. L'ironie n'est pas toujours une forme de tristesse. Je refuse la langue de bois et j'affectionne le mot « enfoiré », que je juge aussi mignon que n'importe quel autre. C'est un vocable qui a de la substance ; il est drôle et amusant ; et il n'y a aucune honte à être maladroit et à se salir. Pourquoi pensez-vous que les hommes aiment tant jouer à la guerre dans les tranchées ou suer pendant cinq jours de chasse en forêt, sans se laver ? Pourquoi les femmes raffolent-elles tant des bains de boue et des enveloppements d'argile ou d'algues couleur de merde ? Parce que c'est bon d'être sale. C'est encore bien meilleur, bien plus sensuel, de se laver ensuite ! Et puis, soyons congruents : nos pépés et nos mémés sont déjà perçus comme des enfoirés de première par nos sociétés. Mais, c'est qui, ça, « les sociétés » ? Bien, c'est tous les autres, vous, moi, ceux et celles qui exercent le pouvoir, les décideurs, les enfants de 40 ans, les bien-pensants, les futurs vieux persuadés qu'ils ne le seront jamais... Le terme «enfoiré» a le mérite de ne pas être édulcoré. Il est empreint de vérité et de respect amusé, alors que les appellations «seniors», «âge d'or» ou «âge de platine», «aînés», «quatrième âge», «cinquième âge» ou «grand âge» ne sont que des euphémismes fourre-tout, fallacieux et lénifiants.

Confidences dans la baignoire

J'ai mal aux jambes. J'infuse dans ma baignoire, mon MacBook sur une tablette d'appoint. Je prends des risques: s'il fallait qu'il glisse! Ça grince dans mon corps vintage. Et ça n'ira certes pas en s'améliorant. Après la soixantaine, quand on n'a pas mal au dos ou aux jambes, on a mal aux os, aux omoplates, au cœur, aux pieds, à l'estomac, alouette! Parfois, quand je souffre un peu, je m'exclame: «Quel bonheur, cette douleur! Dire qu'un jour je ne sentirai plus rien!» Et puis, il y a des moments où l'on se sent parfaitement bien, des instants de purs délices! On a alors le sentiment lucide que chaque petite cellule baigne dans la félicité, que chaque petit bout de corps, externe et interne, est à sa place et exerce allègrement sa fonction! Dans le meilleur comme dans le pire, je sens mon corps avec plus d'acuité: je perçois le travail des muscles, le roulement des articulations, le bruissement de l'épiderme, les roucoulades de mes cellules. Je palpe mieux la vie en moi et autour de moi.

Je trempe dans une eau poudreuse et poudrée, onctueuse comme du lait condensé. Je me prends pour Cléopâtre, me demande ce que fabrique mon Jules. Ça sent bon, c'est crémeux et en plus on n'y voit rien dans ce liquide opaque. C'est bien, parfois, d'être malvoyante. Tiens, cela me fait penser à Alain, mon masseur aveugle. J'adore me promener nue devant lui. J'adore qu'il ne me voie qu'avec ses grosses mains brûlantes, qu'il lave très longuement entre deux clients, comme s'ils les voulaient épurées pour le corps suivant. J'adore qu'il ne me distingue qu'avec la pulpe de ses mains et de ses doigts, les coussinets de ses phalanges. Ce qui me dégoûte, c'est que sa salle de bains n'est jamais nickel. Il y a des poils dans le lavabo et sa douche est mal récurée. J'y marche sur le bout des orteils, avec mes babouches, et je ne touche à rien. J'enrage contre sa femme ou son homme de ménage qui, sous prétexte que le massothérapeute ne voit pas clair, tourne les coins ronds. Chaque fois, je dis : « Alain ! Ta salle de bains est dégueu ! » Et chaque fois, il riposte : « Ah bon... Je n'avais pas remarqué. »

Quand j'étais enfant, j'aimais jouer à l'aveugle. Encore aujourd'hui, il m'arrive de m'y adonner, en marchant dans la nature ou en nageant dans le silence. Petite, je me demandais si les aveugles, eux, jouaient aux voyants... Maintenant que je suis grande, je me demande si un aveugle peut être voyeur... Il m'arrive aussi d'imaginer un monde peuplé d'aveugles.

Où en seraient les critères de beauté et de jeunesse si on ne voyait qu'avec le bout des doigts ? On dit des personnes généreuses qu'elles ont le cœur sur la main. Si on n'y voyait pas, peut-être aurions-nous un cœur au bout de chaque doigt ? Si tout le monde vivait dans le noir, les femmes auraient-elles encore une fracture du moi en perdant leurs courbes et leurs tétons de jouvencelle ? L'érotisme et le désir seraient-ils toujours considérés comme une chasse gardée de la jeunesse ? La chirurgie esthétique existerait-elle quand même ? Imaginez un plasticien aveugle palpant votre beauté charnelle, jugeant de votre laideur du bout de ses doigts et décidant des améliorations à apporter à votre corps...

Je dérive et c'est bon. J'ai les jambes lourdes et je dérive... Je sors une jambe de l'eau... Je la lisse et la masse, de la cheville en remontant le mollet, encore bien galbé, jusqu'à la cuisse. Elle est pas mal, cette jambe, pas de cellulite, dorée, encore musclée. Ça se gâte un tantinet à la cuisse, ça devient mollasson. Surtout à l'intérieur, là où la chair est plus tendre que tendre. Mais c'est vibrant.

Et vibratoire. D'ailleurs, j'ai mal aux cuisses aussi, et au bassin, comme si j'avais fait des culbutes et des galipettes toute la nuit dernière, et pourtant... Je n'ai fait qu'essayer mon SuperMario tout neuf, ce jouet vibromasseur ainsi baptisé par les copines, cadeau de mon super Dimitri. Eh oui, les sorcières aux 60 balais ont droit, elles aussi, à des joujoux ! Mon verdict : efficace, mais bien trop véloce à mon goût, ce SuperMario ! Un engin fou furieux, un cheval à l'épouvante, monté comme un âne sur la coke. De quoi conduire une femme chez la sexologue Robert pour orgasmie précoce. Carrément infernal et intenable, si on met tout l'attirail en fonction – le lèche-vibre-clito, la vrille vaginale, et le microphallus fouinant le petit soleil anal. C'est trop. Et pas assez. Moi, ce qui me déclique, ce sont des bras enveloppants, une joue mâle et un peu rêche, et, surtout, ah... surtout... un regard. Et, ce qui me déclenche, c'est une bouche goulue, des doigts aventuriers, une queue émue, des fesses tendues, une chaleur dimitrienne. Culte des V – verge, vulve, vagin, vitesse, vlitoris et vanus –, ces sex toys, *comme disent les Français férus d'américanismes, font sprinter les phases de la réponse sexuelle. La poupée gonflable mâle, dans laquelle on pourrait – aussi – se blottir, n'a pas été inventée. Avec les dildos à piles, tout se passe en bas, au bout d'une main, et dans la tête. Le fabricant a tout misé sur le sud, alors que sur le continent corporel, c'est le boréal qui allume et embrase l'austral... Dans mes désopilantes distractions avec SuperMario, le sud est en feu alors que le nord frissonne. Les SuperMarios mènent les femmes par le bout du gland, ce palpitant nœud de caoutchouc qui vous expédie dans des orgasmes pétaradants, sans chaleur, sans sensation d'envahissement ou de plénitude.*

Cela reste à prendre plutôt qu'à laisser, puisque ça garde la forme et la twist, empêche les structures génitales et musculaires de s'atrophier, et oblige à nourrir son cinéma érotique, à se projeter des films sur son écran maison intérieur. Avec notre boîte à images, on n'est jamais seules. Et l'autoérotisme n'est jamais un plaisir strictement solitaire, puisqu'il y a toujours, dans les fantasmes qui l'accompagnent, une recherche et une présence d'autrui. Ne l'oublions pas : le cerveau est non seulement le principal organe sexuel, mais aussi le seul à grandir et à fleurir, à se meubler sans fin de matériaux érotiques.

Les dernières des vraies ?

Finalement, la femme vintage, c'est quoi encore ?

Ce n'est pas celle qui est trop belle pour être vraie. Encore moins celle qui est trop fausse pour être belle. C'est celle qui est trop belle pour être fausse.

C'est une *tabougénaire*. Comme certains vêtements griffés, certaines voitures uniques, certaines photographies précieuses, elle date d'une autre époque. Elle est authentique*, dans le sens qu'elle est d'origine, n'est pas une copie, n'a pas été retouchée. Elle a surmonté des désespoirs. Elle ne se laisse pas tirer par-devant ni pousser par-arrière. Elle dit oui à la vie, à tout ce que celle-ci peut apporter. C'est souvent une femme qui a beaucoup travaillé : dans sa vie professionnelle, mais aussi sur soi, sur son corps, son look, son poids... Elle a travaillé ses relations familiales, amicales, professionnelles... Elle a travaillé son lien érotique, son couple, sa vie affective... Incroyable, quand même, de « travailler sa vie affective » plutôt que d'en jouir. Mais, là, ça y est, elle y est : elle a cessé de considérer sa vie comme une industrie. C'est une des caractéristiques principales de la femme vintage : ne plus considérer sa vie comme une industrie où l'on circule d'un service à l'autre. Elle ne se tue plus au boulot, elle s'y divertit. Elle s'amuse davantage à salir la maison qu'à la récurer. Elle désorganise plus qu'elle n'organise son agenda. Elle défait son lit plutôt que de le faire. Fini le temps de bosser dans les sphères de son existence en principe dévolues à la joie. Seule, à deux ou à dix, elle a retrouvé le sens de la fête. Elle se dédie à des activités nobles : rire aux larmes, ne rien faire, flâner, s'égarer, faire des folies, s'étonner. Pour cela, elle a dû se

* Je sais, je sais, le mot est galvaudé, mais je n'en trouve pas de meilleur.

déprogrammer. Chaque matin, c'est le début du monde et elle vérifie sa déprogrammation personnelle, s'assure que sa programmation « par défaut » ne s'est pas réenclenchée automatiquement. Chaque fois que les membres d'un couple* tiédi me disent s'être rapprochés et réchauffés en vacances parce qu'ils étaient plus détendus, je corrige : « Probablement surtout parce que vous étiez déprogrammés. » Être déprogrammé permet d'accéder à l'imprévisible, de recouvrer son potentiel d'émerveillement.

Sur la trentaine de femmes âgées de 25 à 75 ans qui gravitent autour de moi, je peux compter sur mes doigts celles qui n'ont pas eu recours au tyrannique scalpel. Étonnamment, ce sont les plus âgées. Passé 50 ans, certaines femmes s'apitoient sur leur sort, déplorent de ne plus se sentir désirables et s'étiolent de ne pas être convoitées et aimées. D'aucunes prétendent que les hommes, plus souvent les hommes jeunes, les admirent, et, loin de les rendre heureuses, ces bons sentiments les vexent. Voilà des observations à moitié justes qui, de surcroît, relèvent de faits qui ne sont pas immuables. Premièrement, une femme mûre-mûre est désirable et désirée, à la condition expresse d'être désirante. Le terreau premier à cultiver et à arroser est celui de son propre désir, de sa propre aptitude à désirer, à convoiter, à se laisser ébranler. Le désir est d'abord une disponibilité, une ouverture, un intérêt pour le vivant, le frémissant, l'émouvant. À moins d'être un pervers fini, personne ne peut désirer le non-vivant ou être attiré par lui. Ensuite, il est vrai que la jeune fille est spontanément désirée, que la femme est volontiers aimée et que la quinqua et sa cohorte d'aînées sont plus naturellement admirées. Moi qui affirmais, dès ma jeune trentaine, que seule l'admiration peut éterniser le désir et l'amour, vous comprendrez qu'il me sied et me ravit d'être objet et sujet d'admiration. Je ne vais pas en démordre aujourd'hui. Le désir et même l'amour ne survivent pas à l'absence d'admiration. Cela vaut pour tous les êtres humains : les hommes et les femmes, les couples homosexuels et les couples hétérosexuels.

---

* Hétéro ou homo.

Quand on est jeune, le désir est impulsif et fougueux. Parfois, après être tombé en désir, il arrive qu'on tombe en amour. On se relève, puis on s'attache et on admire. Plus vieux, le processus peut s'inverser: on admire une personne et ensuite on l'aime et on la désire. L'homme qui admire une femme *désirante* sera contaminé par le désir de celle-ci. Je vous en fais le pari: le désir, greffé aux émotions en A (affection, amitié, admiration, amour, Amour...), est contagieux. Le désir est l'ITS — inclination transmissible sexuellement* — dont on parle le plus mal, le plus confusément. Normal, puisqu'on ignore à peu près tout de ses motivations profondes et de son fonctionnement. Dans certains domaines, moins on en sait et plus on cause. On remplit le vacuum de notre ignorance, on se perd en conjectures en échafaudant des hypothèses. Échafauder des hypothèses, c'est aussi hasardeux que d'hypothéquer des échafaudages...

Imaginer que je puisse faire partie des «dernières des vraies» vient réveiller en moi tout plein de souvenirs qui se bousculent pour faire surface. J'avais huit ou neuf ans et il y avait à la télévision une série qui s'intitulait Le dernier des Mohicans**. *Cette émission m'a tellement fait rêver. Mon Mohican s'appelait Uncas. Il ignorait qu'il était le dernier de sa tribu et qu'il allait être tué par Magua, le renard subtil, avant même d'avoir pu se reproduire. Il n'a donc rien fait pour changer quoi que ce soit à cette destinée, pour empêcher l'extinction de sa race. Il n'a pas même tenté de se prévaloir de ce statut, pour le moins unique, d'être le dernier des Mohicans.*

Il m'arrive de penser que nous, les femmes vintage de ce début de troisième millénaire, qui choisissons de rester «d'origine», intactes et intégrales, qui résistons à la dictature du remodelage corporel et de la chirurgie esthétique, sommes peut-être les dernières des vraies, les ultimes

* Il n'y a pas que les infections qui soient transmissibles sexuellement...

** D'après le célèbre roman américain *The Last of the Mohicans* de James Fenimore Cooper, publié en 1826.

femelles humaines d'origine. Si la tendance se maintient, celles qui suivront pourraient bien être toutes des avatars postfabriqués.

*Du coup, la pensée que nous puissions être un groupe en voie d'extinction m'attriste autant qu'elle me réjouit. Si je ne peux rien y changer, si je ne peux faire dévier la trajectoire de la déferlante, je peux à tout le moins, contrairement à mon dernier des Mohicans, prendre la pleine mesure de cette réalité, en saisir toute la portée. Et me réjouir de faire partie intégrante et solidaire de cette ultime cuvée des « dernières des vraies » femelles humaines. Cela me trouble et m'amuse tout à la fois d'envisager qu'il puisse y avoir, entre le look corporel humain d'aujourd'hui et celui de demain, autant de différences qu'entre la femme de Neandertal et la fiancée de l'*Homo sapiens*, et cela, non pas en raison de l'évolution naturelle, mais à cause de la main de l'homme au scalpel.*

À travers l'éreintante poursuite de la beauté consacrée et standardisée de notre univers actuel, se glissent quelques curiosités qui forcent la réflexion. La pornographie de plus en plus populaire est celle dans laquelle s'activent monsieur et madame Tout-le-monde, qui met en scène des hommes et des femmes imparfaits, normaux et ordinaires, ni Adonis ni canon, qui font leurs films cochons dans leur sous-sol. Ces femmes et ces hommes ordinaires, pas nécessairement beaux, montrent à la face de la planète ce que le business porno *glamour* lui refuse : des bourrelets, de la brioche, de la calvitie, des seins flasques, de la cellulite, des vergetures, du poil et autres humaines « monstruosités ». Comme si la pornographie maison venait humaniser les marionnettes corporelles trop bien huilées et lustrées. Les consommateurs en redemandent. Est-ce un signe des temps à venir ? Cela peut-il vouloir dire que, dans ce monde où les Européennes de province et les Américaines de fond de rang ont l'allure de stars hollywoodiennes, les modèles d'origine, les intactes et les imparfaites, auront bientôt la cote ? Seront considérées comme des perles rares, enviables et recherchées ? Des diamants bruts ?

J'ai effleuré la question plus tôt. Si la tendance se maintient, l'univers des corps et des visages féminins se divisera de plus en plus en deux groupes: les trop belles pour être vraies et les trop belles pour être fausses. Devant une femme au corps remodelé et au visage tiré à quatre épingles, l'observateur pense spontanément qu'elle doit être vraiment trrrrès vieille pour s'être ainsi fait refaire le portrait. Comme les raccommodages et refontes ne bernent personne, l'objectif est irrémédiablement faussé. C'est dans l'obsession de jeunesse, matérialisée dans le corps, que l'on reconnaît le grand âge.

Les femmes en ont lourd à porter et à exécuter. Les injonctions sociales abrutissantes sont les premières dont elles doivent se libérer. Aussi, s'étant souvent retrouvées en solo résidentiel à la fin d'une union, ont-elles été portées à faire de la maison un être vivant, à insuffler de la vie et du sens aux meubles, aux objets et aux souvenirs... Ce qui est tout à leur honneur, si elles ne s'y laissent pas emprisonner.

J'ai une bonne amie, célibataire après un mariage, deux enfants et deux petits-enfants, qui avait une maison de campagne, un condo en ville, un atelier de peinture, une maison partagée dans le Sud et un pied-à-terre à Paris qu'elle louait pour le rentabiliser. Wow! Riche et heureuse femme, croyez-vous? Détrompez-vous! Elle gaspillait sa vie à entretenir tout ça au lieu d'en jouir. Elle ne s'appartenait pas, ne connaissait pas la joie de s'ennuyer, n'avait aucun moment à consacrer au bonheur de perdre du temps avec ceux qu'elle aime, ses enfants, ses petits-enfants, ses amis... Elle vient de décider de se débarrasser de tout ça, de s'alléger et de vivre dans une sorte d'hôtel particulier. Elle en a les moyens. Je l'ai vue dernièrement: en se déchargeant de tout ce poids matériel, elle s'est délestée de 15 ans! Je l'ai entendue débouler de rire. Comme ça ne lui était pas arrivé depuis des lustres. Elle a même eu le temps de tomber en désir... À sa plus grande stupéfaction!

Il ne s'agit évidemment pas de se délester de tous ses avoirs et de prendre le chemin de la bohème avec son baluchon pour être une femme vintage heureuse. Mais, le temps se raréfiant, il est bon de réfléchir à la possibilité d'être moins empêtrée dans des objets à entretenir, des biens qui nous encombrent, des meubles qui s'empoussièrent, de grandes maisons qui nous retiennent, des vêtements inconfortables qui nous étouffent, et même des personnes qui nous ankylosent et nous éteignent au lieu de nous aider à humer l'air du large. S'alléger pour mieux respirer, pour mieux mordre dans la vie… Si cela nous convient.

Dernière résolution

Chaque jour, je continue à mettre en place des mécanismes qui me permettent de faire la paix avec la peur du vieillissement, avec l'apparence qui est la mienne, avec l'âge qui est le mien, avec les sillons et empreintes qui témoignent de ma vie et qui me révèlent*. Les boomeuses de mon âge se souviennent des prières du matin et du soir qui ont rythmé notre enfance. Je propose qu'on y revienne dans des versions renouvelées et adaptées au troisième millénaire et à nos réalités actuelles. D'ici à ce que vous ayez créé les vôtres, je vous offre les miennes en partage.

* * *

Ma prière du soir: La vie est trop courte pour être petite; mon temps est trop court pour que mes nuits soient longues.
Ma prière du matin: Je n'ai ni avenir à bâtir ni passé à ruminer. Aujourd'hui, je mets des guirlandes dans ma journée.

* Notez que j'ai écrit «témoignent» et non «trahissent». J'aurais pu aussi écrire «traduisent». Le corps n'est pas un traître. Il ne trahit pas, il ne fait que traduire, refléter, exprimer et s'exprimer…

Épilogue

Pourquoi conclure ? Les dénouements et aboutissements m'ennuient. Ce que j'aime, c'est le processus. Lorsque j'étais étudiante, je rédigeais mes travaux universitaires en commençant par la conclusion, pour me débarrasser vite de cette partie ennuyante. Cette manière de faire me dictait le corps du texte. En avion, j'adore les heures de suspension en plein ciel et je hais autant les atterrissages que j'aime les décollages. Quand je voyage en train, je rêve que les terminus n'existent pas et qu'on peut continuer toujours. Peut-être y a-t-il là quelque chose de lié à ma hantise de la mort. Moi qui n'ai jamais craint, enfant, le bonhomme Sept-Heures*, voici que le bonhomme Thanatos me donne la chair de poule…

Plus on avance sur notre route, plus la perspective du cul-de-sac devient inéluctable. En début de parcours, c'est une vision toute théorique. Nos yeux sont tout pleins d'immédiateté. Nous ne voyons que le segment du ruban qui se déroule à vue de nez. Même à 30 ou 40 ans, en pleine progression, on y voit mal devant soi. À 50-60 ans, le champ de vision se dégage, la vue porte au loin. Depuis la cime de notre petit monticule existentiel, on distingue nettement le chemin parcouru et on évalue l'autre versant, la déclivité appréhendée. On sait bien qu'on met beaucoup moins de temps à descendre la montagne qu'on en a mis à la gravir.

Vous poursuivrez cette réflexion que nous avons amorcée ensemble à votre manière. Et vous vivrez votre *adultescence* comme bon, ou mal vous semblera. Vos 50, 60 ou 70 balais vous

* Au Québec, le bonhomme Sept-Heures est un personnage fictif que les parents évoquaient pour inciter les enfants à se mettre au lit dès sept heures du soir. Le bonhomme faisait sa ronde quotidienne et pouvait se mettre en colère s'il trouvait la marmaille encore debout. En Europe, on parle plutôt du croquemitaine ou du père Fouettard.

serviront-ils à tout balayer ? À faire un grand ménage ? À dissimuler la poussière sous les carpettes ? Hum... 60 ans de poussières accumulées, ça en fait des gros matous sous les tapis ! Vous pouvez aussi envoyer tous vos balais à la récup ou fonder une entreprise d'hommes de ménage. Les couper en petits bouts et les brûler dans l'âtre ou les chevaucher pour vous envoler vers une autre planète. Pourquoi ne pas les planter dans votre jardin, en cercle, comme des bougies sur un gâteau d'anniversaire, paillis vers le ciel, et les allumer ? Ce sera la plus formidable galette de fête que vous aurez jamais vue ! Et quel éclairage dans votre paysage !

Une fois acceptée l'histoire de notre âge, des saisons derrière, du nombre d'années qui nous ont patinées, il ne sert plus à rien de mentir sur notre âge. Moi, je suis arrivée sur la boule en 48. 1948. C'est mon âge chronologique. Rien de plus et rien de moins. Toute ma personne et toute ma vie ne tiennent pas dans un chiffre. Il y a quelques semaines, nous nous promenions, mon homme et moi, lorsqu'un sympathique «enfoiré» – il a 82 ans – nous a conviés à une halte placotage. À un moment donné, il nous demande, sans crier gare, notre âge. Et Dimitri de répondre : «Nous avons 55 ans !» Qu'est-ce que tu lui as raconté là ? pouffai-je en nous éloignant. «Quoi ? Il n'a pas demandé mon âge ni le tien ; il a demandé notre âge, alors j'ai fait la moyenne. Ça nous fait bien 55 ans, non ? » Bien sûr, on a une date de naissance, donc un âge chronologique. Aucun risque de l'oublier, tout nous le rappelle constamment, quotidiennement, socialement, administrativement. Le reste est relatif. Le reste est cocasse. Rigolons-en.

Quand je me réveille le matin et que j'ai envie de râler parce que je craque et plisse joliment, pas question de me laisser démoraliser par la bouille matutinale de la sexygénaire que j'aperçois dans la glace. Je la regarde dans le blanc des yeux et lui souris. C'est magique. Ses rides se détendent aussitôt, comme si j'y glissais un fer à repasser vaporeux. Je lui dis qu'elle est blette, mais plutôt agréable. Et elle me croit. Je la fouette et lui ordonne : «Allez ! Il est révolu le temps où tu pouvais te contenter d'être belle et de te pavaner. Maintenant, oust ! À la vie ! À la vie !» Comme tout cela se passe à haute voix, Dimitri ne rate pas de me dire, lorsqu'il est là, que je suis complètement barjo. J'espère qu'il dit vrai.

Sois belle et ne te tais pas !

Nous avons le pouvoir, non négligeable, de prendre conscience de notre pouvoir. Nous, les boomeuses, avons la force du nombre, la force de tous les rêves que nous avons portés à bout de bras, la force de toutes les luttes que nous avons menées, gagnées ou perdues. Ça n'est pas rien. Qu'arriverait-il si nous décidions de ne plus caqueter les répliques habituelles qu'on nous a préparées ? Si nous refusions d'enfiler l'uniforme de chair qu'on nous a confectionné ? Si nous tournions le dos au masque qu'on nous impose ? Si nous contestions les rôles prescrits par l'actuelle régression érotique ? Je le répète encore, une dernière fois : nous constituons, en nombre, le groupe démographique le plus important en Amérique et c'est la première fois dans l'histoire que l'argent que nous dépensons est de l'argent que nous avons nous-mêmes gagné. Que se passera-t-il quand nous dépenserons nos économies et nos énergies là où il nous semble juste, bon et plaisant de le faire ? Qui sait si les femmes qui ont fait la révolution sexuelle et féministe ne feront pas bientôt la révolution *adultescente* ? Qui sait ce qui arrivera quand nous cesserons de faire taire non seulement notre voix, mais aussi notre corps et notre visage ? Car il faut bien admettre que c'est ce que font scalpels, bistouris et injections de remplissage : faire taire nos corps et nos visages.

Les choses sont ce qu'elles sont en raison de notre histoire et de notre contexte qui les imprègnent de sens. Mais notre histoire quotidienne, notre contexte journalier, c'est nous, chaque jour, qui les façonnons. Toutes les étiquettes, vignettes et notices nous concernant sont à mettre à la déchiqueteuse puis au compostage : vieille, retraitée, antiquité, dinosaure, dépassée, *retour d'âgée*, pensionnée, finie, *has been*, mémé, frustrée, desséchée… Brodons du sens nouveau, multicolore, par-dessus le sens ancien qui n'est plus en phase avec ce que nous sommes et avec nos aspirations. Demain matin, dites tout haut : « Ma vie est merveilleuse aujourd'hui. Et je ne laisserai personne défigurer mes paysages émotionnels ou manipuler mon humeur. » C'est elle qui donne à notre univers sa tonalité affective, ces rouges et ces orangés, ces bleu clair et ces vert tendre. L'humeur est facile, très facile à manipuler. Chouchoutons-la pour qu'elle soit bonne !

Je lisais récemment dans une revue scientifique que des astronomes ont détecté, grâce à un appareil appelé radio-interféromètre, une molécule de sucre à 26 000 années-lumière de notre Terre. Imaginez-vous ce que cela représente ? Une poussière de sucre à des années-lumière de votre garde-manger ! Voilà le genre d'information scientifique et poétique qui me fait rêver. J'ai toujours eu la dent sucrée, alors vous imaginez ce que cela me fait de savoir que du sucre vadrouille à l'autre bout de l'univers visible et invisible ! Du miel dans l'éternel. Wow !

Un jour, si j'atteins un âge respectable, vers 85 ans, je veux être une vraie belle enfoirée : sucrée de chair et de rides, salée de fantasmes et de folie. Citronnée, poivrée. Assaisonnée d'herbes et d'épices qui, déglutis par les années, me donneront une fragrance inimitable, enivrante, céleste.

En terminant ce livre, j'ai été prise d'un fou rire. Un peu comme on se met à pleurer ou à rire aux larmes quand cèdent les vannes après un effort soutenu, un accouchement, une libération. J'aimerais bien que vous soyez prise d'une impulsion semblable en fermant ce livre. Rire. Sourire. Autrement, si le vieillissement continue de vous pétrifier, eh bien, consolez-vous : la vieillesse, comme la rosée du matin ou la fraîcheur juvénile, dure le temps d'une rose. Ensuite, regardez autour de vous : vous êtes moins seule que jamais ! Le siècle des vieilles est commencé. Le siècle des femmes vintage aussi. Le vintage, dit *Le Grand Robert*, c'est du ringard chic. Et, le ringard chic, c'est de l'avant-garde. C'est nous.

Terminé à Salinitas, El Salvador
Le 3 janvier 2010

Bibliographie

ALLARD, Sophie. « Accros au bistouri ? », *La Presse*, 15 octobre 2009.

______________. « Règles de pratique : le far west ? », *La Presse*, 15 octobre 2009.

______________. « Scalpel, dis-moi qui est la plus belle ! », *La Presse*, 16 octobre 2009.

American Society of Plastic Surgeons. Voir http://www.plasticsurgery.org/.

ANDRÉ, Christophe. *Les états d'âme : Un apprentissage de la sérénité*, Paris, Odile Jacob, 2009.

ARCAN, Nelly. *À ciel ouvert*, Paris, Seuil, 2007.

BAJOS, Nathalie, Michel BOZON (sous la direction de). *Enquête sur la sexualité en France : Pratiques, genre et santé*, Paris, La Découverte, 2008.

BALSAMO, Anne. « *On the Cutting Edge : Cosmetic Surgery and the Technological Production of the Gendered Body* », *in* N. MIRZOEFF (sous la direction de), *The Visual Culture Reader*, Londres, Routledge, 1999, p. 223-233.

« Beautés fatales de 10 à 60 ans », *Vogue*, n° 892, novembre 2008.

BERING, Jesse. « Pourquoi la mort reste un mystère », *Cerveau & Psycho*, n° 31, janvier- février 2009.

BONSTEEL, Dr Alan. *Être jeune et le rester*, Montréal, Les Éditions de l'Homme, 2002.

BUREAU, Jules. *Vivement la solitude !*, Montréal, Éditions du Méridien, 1992.

COLLANGE, Christiane. *Pitié pour vos rides : Une enquête vérité sur le monde de l'esthétique*, Paris, Robert Laffont, 2009.

CÔTÉ, Émilie. « Diane Dufresne : Des mots pour s'expliquer », *La Presse*, 21 novembre 2009.

DEMERS, Dr Sylvie. *Hormones au féminin : Repensez votre santé*, Montréal, Les Éditions de l'Homme, 2008.

DUMAS, Hugo. « Sexe, scalpel et soufflerie », *La Presse*, 19 avril 2008.

ÉMOND, Ariane. « Les amoureuses de l'âge mûr », *Gazette des femmes*, vol. 31, n° 4, janvier-février 2010.

FOGLIA, Pierre. « Mon oncle Alfred », *La Presse*, 10 octobre 2009.

GROULT, Benoîte. *La touche étoile*, Paris, Grasset, 2006.

______________. *Les vaisseaux du cœur*, Paris, Grasset, 1988.

HADDAD, Dr Guy. *Jeunesse pour tous*, Paris, Éditions Lincoln, 1993.

HESLON, Christian. *Petite psychologie de l'anniversaire*, Paris, Dunod, 2007.

KHADRA, Yasmina. *Ce que le jour doit à la nuit*, Paris, Julliard, 2008.

LE GOUÈS, Dr Gérard. *Un désir dans la peau : La chirurgie plastique sur le divan*, Paris, Hachette Littérature, 2004.

LEMOINE, Patrick. *S'ennuyer, quel bonheur !*, Paris, Armand Colin, 2007.

« Le sexe n'a pas d'âge », Vita, automne 2008.

LORTIE, Marie-Claude. « Un plus joli postérieur que ça, tu meurs », *La Presse*, 3 décembre 2009.

______________. « Vive l'âge », *La Presse*, 13 février 2007.

MEHRABIAN, Albert. *Silent messages : Implicit Communication of Emotions and Attitudes*, Belmont, Wadsworth, 1981.

MERCIER, Élisabeth. « Le corps est un objet de désir... médiatique », Université de Montréal, *Forum express*, vol. 6, n° 1, 2006. Voir http://www.iforum.umontreal.ca/forumexpress/2006-2007/200609/article06.html

______________. « "Penser autrement" la chirurgie esthétique d'un point de vue communicationnel », *COMMposite*, vol. 11, n° 1, 2008, p. 1-24. Voir www.commposite.org.

MEUNIER-TARDIF, Ghislaine. *L'Écarlate*, Montréal, Stanké, 2009.

MICHAU, Nadine. « L'addiction à la médecine esthétique », *Cerveau & Psycho*, n° 22, juillet-août 2007.

MICHELET, Sylvain. « C'est quoi le bonheur ? », *Psychologies magazine*, octobre 2007.

MIMOUN, Pr Maurice. *L'impossible limite : Carnets d'un chirurgien*, Paris, Albin Michel, 1996.

NORTHRUP, Dr Christiane. *La sagesse de la ménopause*, Varennes (Québec), Éditions Ada, 2003.

PETROWSKI, Nathalie. « Céline Galipeau : passation des pouvoirs », *La Presse*, 3 janvier 2009.

______________. « Corno : fille de guérilla urbaine », *La Presse*, 13 juin 2009.

______________. « La dictature du bistouri », *La Presse*, 16 octobre 2009.

______________. « Mère toujours », *La Presse*, mai 2008.

Rajeunir Magazine, octobre-novembre 2006.

RICARD, François. *La Génération lyrique*, Montréal, Boréal, 1992.

RIZZOLATTI Giacomo, Sinigaglia CORRADO. *Les neurones miroirs*, Paris, Odile Jacob, 2007.

ROBERT, Jocelyne. « Couple : et si on s'amusait ? », *Châtelaine*, décembre 2008.

______________. « La tropitude », *Châtelaine*, mars 2009.

______________. *Le sexe en mal d'amour*, Montréal, Les Éditions de l'Homme, 2005.

______________. « Le sexe n'a pas d'âge », *Châtelaine*, avril 2009.

SCHMITT, Eric-Emmanuel. *Lorsque j'étais une œuvre d'art*, Paris, Albin Michel, 2002.

SCHNEIDER, Michel. *Marilyn dernières séances*, Paris, Grasset, 2006.

TISSERON, Serge. « *Le silence de Lorna* : La personnalité clivée », *Cerveau & Psycho*, n° 31, janvier-février 2009.

TODD GILBERT, Daniel. *Et si le bonheur vous tombait dessus*, Paris, Robert Laffont, 2007.

TREMBLAY, Jacinthe. « Le travail chez les 50-64 ans – stop ou encore ? », *Gazette des femmes*, vol. 31, n° 4, janvier-février 2010.

TRUDEL, Jonathan. « Vivre sans vieillir », *L'actualité*, juillet 2008.

TURCHET, Philippe. *Les codes inconscients de la séduction*, Montréal, Les Éditions de l'Homme, 2004.

______________. *Le langage universel du corps*, Montréal, Les Éditions de l'Homme, 2009.

VANDELAC, Louise. « Chirurgie dite esthétique : Du corps en jeu au corps en joue... », conférence publiée par le Réseau québécois d'action pour la santé des femmes. Voir http://rqasf.qc.ca/conference_vandelac.

VAN HER, Frédérique. « Finalement, qu'est-ce qui m'a comblé ? », *Psychologies magazine*, octobre 2007.

Notes

PROLOGUE

1. Le *Globe and Mail* rapportait en novembre 2008 une étude de Santé Canada indiquant notamment que le VIH avait doublé chez les boomeuses entre 1998 et 2008. J'avais discuté de ces faits avec Mme Anne-Marie Dussault au *Téléjournal midi* de Radio-Canada, le 27 novembre 2008.
2. « La beauté n'est pas une affaire d'âge. » Enquête menée auprès de 1450 femmes âgées de 50 à 64 ans, sur le thème de la beauté et du vieillissement. Voir www.unilever.ch/fr/Images/dove_pro_age_etude_mondiale_tcm67-85148.pdf

CHAPITRE 1

3. Angélina Desmarais est un personnage du roman *Le Survenant* de l'écrivaine canadienne Germaine Guèvremont (1893-1968), publié en 1945. Angélina boitait et était déjà vieille à 25 ans. Pour les Français, peu férus de littérature d'outre-Hexagone, disons une Anne à l'astragale déboîté (personnage de *L'Astragale* d'Albertine Sarrazin, 1965).
4. Journaliste à *La Presse*, mai 2008. Citation de mémoire.
5. Il semble que le couple retrouve une meilleure harmonie conjugale après le départ du dernier enfant. Selon des études citées par Daniel Todd Gilbert dans *Et si le bonheur vous tombait dessus*.
6. C'est Benoîte Groult qui, dans *Les Vaisseaux du cœur*, parle de vieillissement par paliers.

CHAPITRE 2

7. http://jocelynerobert.blogspot.com/2009_08_30_archive.html
8. Novembre 2008, numéro 892.
9. Daniel Maes (Estée Lauder), Lionel de Benetti (Clarins), Édouard Mauvais-Jarvis (Dior) et Véronique Delvigne (Lancôme).
10. *Que choisir* et *Consumer Reports*, deux revues de consommation, une française et l'autre américaine, ont publié des dossiers montrant que les grandes marques de crème antirides ne fonctionnent pas, www.quechoisir.org et www.consumerreports.org
11. Voir *Les codes inconscients de la séduction* de Philippe Turchet.
12. www.celebritybeautybuzz.com/index.php/2008/08/madonna-new-york-magazine-and-hollywood-plastic-surgery
13. www.actustar.com/citations/merylstreep/3629
14. Auteur de *L'impossible limite : Carnets d'un chirurgien*.
15. Coïncidence intéressante : je me suis aperçue, après avoir écrit ce chapitre, que Christiane Collange, dans *Pitié pour vos rides*, cite cette même tragédie, précisément dans le même but que

moi ici. Rassurant de voir que je ne suis pas la seule à constater l'indécence d'un visage qui a perdu toute aptitude à traduire une émotion.

16. Albert Mehrabian, *Silent Messages*.
17. Rizzolatti, Giacomo et Sinigaglia Corrado, *Les neurones miroirs*. Une excellente émission de *Découvertes*, sur Radio-Canada, en a parlé le 27 septembre 2009.

CHAPITRE 3

18. Non, je ne suis pas créationniste ! Ces informations sont tirées du site *Wikipédia*.
19. *À l'école du* X, réalisé par Ella Cerfontaine et diffusé sur la chaîne européenne Arte en mai 2008.
20. Selon l'échelle de Kastenbaum, test tiré de *Petite psychologie de l'anniversaire* de Christian Heslon.
21. Infos tirés de www.redshiftici.ca/aging/secrets.aspx
22. www.redshiftici.ca/aging/growup.aspx#
23. www.passeportsante.net/fr/VivreEnSante/Tests/Fiche.aspx?doc=vieillissement_ts
24. Les autres sont : homme, mari, femme, mer et main. Source : http://eduscol.education.fr/cid47918/liste-de-frequence-des-mots-de-la-langue-francaise-ecrite.html
25. Jesse Bering, « Pourquoi la mort reste un mystère », *Cerveau & Psycho*.
26. *Ibid*.
27. *Ibid*.
28. Mouvement lancé il y a une dizaine d'années par Martin Seligman à son arrivée à la présidence de l'Association américaine de psychologie.
29. Sylvain Michelet, « C'est quoi le bonheur ? », *Psychologies magazine*.
30. Frédérique Van Her, « Finalement, qu'est-ce qui m'a comblé ? », *Psychologies magazine*.
31. Daniel Todd Gilbert, *op. cit*.

CHAPITRE 4

32. Au Québec, on peut attendre des mois, voire un an, avant d'avoir un rendez-vous avec un dermatologue pour un problème de santé. Pour un rendez-vous en « esthétique », l'attente sera de quelques jours ou de quelques semaines...
33. Selon le coroner Jacques Ramsay affecté au dossier de Micheline Charest, décédée à la suite d'une chirurgie esthétique. Extrait tiré de « Chirurgie dite esthétique ; du corps en jeu au corps en joue... », conférence de Louise Vandelac de l'UQÀM.
34. Selon l'American Society for Aesthetic Plastic Surgery. Citation de Louise Vandelac, *op. cit*.
35. Louise Vandelac, *op. cit*.
36. Nadine Michau, « L'addiction à la médecine esthétique », *Cerveau & Psycho*.

37. Selon la Régie de l'assurance maladie du Québec (RAMQ).
38. Louise Vandelac, *op. cit.*
39. IMCAS (International Master Course on Aging Skin), janvier 2009, cité par Christiane Collange, *op. cit.*
40. Les informations sur l'addiction sont largement tirées de l'excellent magazine scientifique *Cerveau & Psycho* qui a suivi pendant trois ans une femme « addictive ».
41. Nadine Michau, *op. cit.*
42. http://www.hc-sc.gc.ca/ahc-asc/media/advisories-avis/_2009/2009_02-fra.php
43. Sophie Allard, « Accros au bistouri ? », *La Presse*.
44. Kieron O'Connor est psychologue. Il menait en 2009 une étude clinique auprès de gens souffrant de TOC au Centre de recherche Fernand-Seguin de l'Hôpital Louis-H.-Lafontaine à Montréal. Pour les fins de sa recherche, son équipe recrutait des personnes atteintes de la peur de dysmorphie corporelle (et autres TOC). Voir www.hlhl.qc.ca/recherche
45. Sophie Allard, *op. cit.*
46. Alexandra Perron, 2004. Propos cités par Louise Vandelac, *op. cit.*
47. L'anthropométrie est l'ensemble des techniques de mensuration du corps humain. (Voir Balsamo, 1999.) Ces mesures « servent tant aux anthropologues qu'aux architectes ou aux designers de voitures, de sièges, etc., qui doivent s'appuyer sur des références standards de mesures corporelles ». (Voir Mercier, 2008.)
48. Citation libre, *Le Journal de Montréal*, autour d'avril 2004.
49. « Un plus joli postérieur que ça, tu meurs », *La Presse*.
50. Cité par Sophie Allard dans « Règles de pratique : le far west ? », *La Presse*.

    Pour un bouleversant témoignage d'insatisfaction, voir http://memodemots.over-blog.com/categorie-10304238.html
51. Pour de l'information critique, on peut consulter le site du Réseau québécois d'action pour la santé des femmes : http://rqasf.qc.ca/fiches_esthetique
52. Miss Chirurgie plastique chinoise. Voir *Le sexe en mal d'amour*, Jocelyne Robert, p. 89.
53. http://myfreeimplants.com/
54. Sophie Allard, *op. cit.*
55 *Ibid.*
56. *Ibid.*
57. Journaliste, animateur du *Téléjournal* de 18 heures sur la chaîne française de Radio-Canada.
58. Journaliste, animatrice du *Téléjournal* de 22 heures sur la chaîne d'État, dans une entrevue accordée à Nathalie Petrowski dans *La Presse*.
59. Dans « Mon oncle Alfred », *La Presse*.
60. Peintre québécoise en vogue, installée à New York. Voir Nathalie Petrowski, « Corno : fille de guérilla urbaine », *La Presse*.
61. Émission *L'autre midi à la table d'à côté*, samedi 9 mai 2009, Première Chaîne, société Radio-Canada.

62. Discipline élaborée par Philippe Turchet pour décrypter le langage corporel. Elle postule que l'on pourrait mieux saisir l'âme humaine si l'on comprenait les mots du corps : micromouvements, microdémangeaisons, microcaresses, mouvements de tête ou des membres, etc. Voir *Le langage universel du corps*.
63. Langue des signes français. La langue des signes est propre à chaque pays. Celle du Québec (la LSQ) diffère de celle utilisée en France. Elle comporte 26 signes de base.
64. Denis T. sur le blogue de Josée Blanchette, le 9 octobre 2009.
65. De Gérard Le Gouès.
66. L'écrivaine Nelly Arcan a été très transparente à cet égard. Elle a toujours affirmé que la soumission des femmes aux charcutages corporels s'expliquait par le besoin névrotique de plaire et d'exciter le mâle.
67. Dans *L'impossible limite, op. cit.*
68. Le film *Le Silence de Lorna* des frères Dardenne traite de ce syndrome.
69. Paix à son âme ! Si celle-ci existe, c'est probablement la seule partie de la mégastar qui n'a pas été soumise à la dictature chirurgicale.
70. Repris par Hugo Dumas dans *La Presse* du 19 avril 2008.
71. Selon Christiane Collange, *op. cit.*, p. 28.
72. Marceau citée par Christiane Collange, *op. cit.*, p. 23. Devos, dans *Madame Figaro*, week-end du 5 décembre 2009.
73. Comme la diva Diane Dufresne qui dit simplement, sans plus, à la journaliste Émilie Côté, avoir essayé de cacher ses rides avec des traitements et des chirurgies. Voir *La Presse* du 21 novembre 2009.
74. Cité par Françoise-Marie Santucci et Olivier Wicker, *Vogue*, n° 892, novembre 2008.
75. Crédit : Isabelle Hontebeyrie. Voir http://chirurgie-stars.skyrock.com/459934152-barbie-et-ken-existent-vraiment
76. Le vrai nom de cet homme est Tim Whitfield-Lynn, qu'il a changé pour Miles Kendall en se réincarnant en Ken. Pourquoi Miles Kendall ? « *Because he looks miles better* », répond Tim. Et, Kendall, vous l'avez peut-être deviné, vient de *Ken doll*...
77. Si vous ne connaissez pas les monstrueux jumeaux Igor et Grichka Bogdanoff, ces Français d'origine russe, ça vaut la peine que vous alliez fureter sur le Net à leur sujet...
78. Dans « Scalpel, dis-moi qui est la plus belle ! », *La Presse, 16 octobre 2009.*
79. Louise Vandelac, *op. cit.*

CHAPITRE 5

80. Voir *Le sexe en mal d'amour*, *op. cit.*
81. Sondage IFOP/Lilly mené en 2009 auprès d'un échantillon de 1001 personnes. Voir http://sante-medecine.commentcamarche.net/news/109639-pour-les-francais-le-toucher-est-le-sens-le-plus-important-lors-d-une-relation-sexuelle

82. Le Dr Roy Jackson, dans son cabinet de Vancouver, reçoit des femmes, jeunes et moins jeunes, qui ont décidé d'entreprendre de grands travaux de rénovation génitale.
83. Le Dr David Matlock est le chef d'une sorte de multinationale du rajeunissement vaginal dont il vend des franchises, le tout calqué sur le modèle économique des restaurants McDonald's. Voir www.drmatlock.com
84. Pour d'éloquentes descriptions de la dérive des transformations, voir les romans *À ciel ouvert* de Nelly Arcan et *Lorsque j'étais une œuvre d'art* d'Eric-Emmanuel Schmitt.
85. Expression empruntée à Christiane Northrup dans *La sagesse de la ménopause*.
86. *S'ennuyer, quel bonheur!*, livre de Patrick Lemoine.
87. Auteur de *Vivement la solitude!*
88. La synergologie montre que, lorsqu'on est bien avec quelqu'un, lorsqu'on est dans le lien, on avance davantage vers l'autre avec la partie gauche du visage. Cela n'est pas facile à remarquer, mais, si vous voyez l'oreille gauche de votre interlocuteur, c'est bon signe.
89. Auteure de *L'Écarlate*. L'amour, y compris l'amour charnel, entre personnes âgées décuplerait leurs aptitudes à mieux aimer les autres: enfants, petits-enfants, amis, etc.

CHAPITRE 6

90. Voir *La Génération lyrique* de François Ricard.
91. Réseau de l'information (RDI) et Société Radio-Canada (SRC).
92. Voir *Le sexe en mal d'amour*, *op. cit.*
93. Auteure de *Hormones au féminin: Repensez votre santé.*
94. *Ibid.*
95. Voir Jonathan Trudel dans la revue *L'actualité*, juillet 2008.
96. Guy Laliberté, fondateur et chef de la direction du Cirque du Soleil, en «mission sociale et poétique» à bord du vaisseau spatial Soyouz, octobre 2009.

Table des matières

Autres ouvrages de l'auteure

Pour envoyer un mot à l'auteure :
jocelyne_robert@videotron.ca

Pour consulter son blogue :
http://jocelynerobert.blogspot.com

Pour la suivre sur Twitter :
http://twitter.com/JocelyneRobert

Suivez les Éditions de l'Homme sur le Web

Consultez notre site Internet et inscrivez-vous à l'infolettre pour rester informé en tout temps de nos publications et de nos concours en ligne. Et croisez aussi vos auteurs préférés et l'équipe des Éditions de l'Homme sur nos blogues !

www.editions-homme.com

Achevé d'imprimer au Canada
sur papier Enviro 100 % recyclé